D0226662

Un digne héritier

Blair et le thatchérisme

KEITH DIXON

Un digne héritier
Blair et le thatchérisme

RAISONS D'AGIR ÉDITIONS

Pour Lucette

Éditions RAISONS D'AGIR
27, rue Jacob, 75006 Paris
© *ÉDITIONS RAISONS D'AGIR,* janvier 2000

L'enthousiasme médiatique qui dans un premier temps a entouré le nom et le projet politique du Premier ministre britannique, Anthony Blair, en France comme dans d'autres pays européens, semble actuellement s'estomper. Le côté donneur de leçons de morale de Blair commence à agacer, y compris parmi ses soutiens les plus fidèles dans le monde médiatique et politique (et il n'en manque pas), et l'image publique du jeune « gagnant » britannique, si soigneusement promue par son entourage de conseillers en communication, a quelque peu souffert de son premier grand échec politique lors des élections européennes de juin 1999. Une tonalité plus critique s'est introduite dans bon nombre de commentaires depuis la publication du programme « social-libéral » de Schröder et de Blair en vue de ces élections, d'autant plus critique sans doute que le programme n'a pas eu les résultats escomptés dans l'électorat des deux pays.

Les nouvelles qui nous arrivent de la Grande-Bretagne blairiste se font moins optimistes qu'il y a deux ans. S'il est trop tôt pour parler d'un bilan complet de l'action gouvernementale des néo-travaillistes, on commence à discerner les grandes tendances, dans la continuité des gouvernements conservateurs précédents, et à mesurer la modestie des moyens mis en œuvre pour résorber les problèmes sociaux et économiques graves, héritage de dix-huit ans d'administration néo-libérale. Ainsi, selon un récent rapport du gouvernement britannique, venant confirmer les analyses issues du monde associatif, 40 % des enfants britanniques naissent dans la pauvreté – une pauvreté qui va en s'étendant depuis la fin des années 70 – dans une société de plus en plus marquée par les inégalités sociales. En ce qui concerne les revenus, le Royaume-Uni reste un des pays les plus inégalitaires du monde développé. Si le chômage est en baisse (6,1 %), les statistiques officielles sont vivement contestées et les réalités qu'elles dissimulent autant qu'elles révèlent font l'objet d'appréciations fortement divergentes : on met en cause un système draconien de recensement des chômeurs qui pousse ces derniers en fin de droits à ne plus s'inscrire ; on dénonce les grandes tendances dans la création d'emplois en Grande-Bretagne qui révèlent une augmentation sensible de la proportion d'emplois précaires et à temps partiel obligé ; on parle aujourd'hui en Grande-Bretagne des « pauvres invisibles » qui échappent complètement aux recensements officiels, vivant à la marge, et faussant ainsi la vision d'ensemble. Si la condition des sans-emploi ne s'est guère améliorée depuis l'arrivée des néo-travaillistes, celle des salariés n'a pas non plus connu de changement significatif. La « flexibilité » reste le maître mot des rapports de travail en Grande-Bretagne : en dépit de quelques modifications du droit du travail (par exemple, l'application très incomplète de la directive européenne sur la durée maximale du travail hebdomadaire), les salariés britanniques continuent de jouir d'une protection minimale, licenciables à souhait par des employeurs que l'on refuse de contraindre au nom du libre jeu des mécanismes du marché. Les syndicats, par contre, restent enfermés dans un carcan juridique hérité des années Thatcher. Comme l'a rappelé

Blair lui-même pendant la campagne électorale de 1997, même après les modifications des lois syndicales proposées par le parti néo-travailliste, la Grande-Bretagne conserve le cadre le plus contraignant pour l'activité syndicale de tous les pays développés. En dépit de la rhétorique tonitruante, des offensives publicitaires et des promesses de lendemains qui chantent, la Grande-Bretagne de Blair ressemble étrangement à celle de Margaret Thatcher : une économie où le secteur financier est roi et l'industrie le parent pauvre ; une fiscalité « attractive pour les investisseurs » qui récompense les riches et entrave la redistribution ; une idéologie officielle qui flatte l'entreprise privée et le « dynamisme » des entrepreneurs et qui considère la pauvreté et les pauvres comme nécessairement suspects. Le blairisme, tel qu'il s'est affirmé dans les textes officiels du Parti travailliste depuis l'arrivée de Blair à sa tête en 1994 et tel qu'il s'est exprimé dans l'action gouvernementale depuis la victoire néo-travailliste en mai 1997, ressemble plutôt à une machine de guerre contre les valeurs de la gauche (la « vieille gauche » comme disent les blairistes) qu'à une quelconque tentative de rénover la social-démocratie.

Il n'en reste pas moins que Blair continue à occuper une place significative sur l'échiquier politique en Europe, et que l'on peut voir dans le néo-travaillisme le point le plus avancé d'une offensive autour des « valeurs du marché » au sein de la social-démocratie européenne. Blair n'a jamais caché ses ambitions de *leadership* européen, ni son espoir de voir la transformation du Parti travailliste, menée à pas forcés sous sa direction depuis 1994, servir de modèle aux partis frères. La déclaration commune de Blair et de Schröder est venue confirmer un axe fort Londres-Bonn destiné à promouvoir les idées de la « troisième voie ». On y vante la baisse des impôts, la compression des dépenses publiques et la libéralisation des échanges internationaux ; on y incite les Européens à faire preuve de plus de flexibilité et à « rattraper les États-Unis ». Autour de cet axe d'autres forces et d'autres personnalités s'organisent. Ainsi, Romano Prodi occupe une position stratégique à la fois à la tête de la Commission Européenne et en Italie pour relayer la vision blairiste : les récentes nominations au sein de la Commission (septembre 1999) sont venues confirmer le rapprochement entre Prodi et les blairistes par une sur-représentation des Britanniques. La rencontre, organisée à Florence en novembre 1999 autour de Blair et de Clinton, qui avait pour objectif de rassembler les dirigeants « réformistes » des pays développés fut un signe de plus de cette ramification. On sait, par ailleurs, tout l'intérêt porté par les dirigeants américains à la dissémination internationale des idées que Blair et ses amis les plus proches ont largement puisées dans le débat intellectuel et politique américain.

En France, la réception du blairisme reste largement brouillée par des utilisations politiciennes diverses. La droite parlementaire et bon nombre de commentateurs médiatiques ont un temps utilisé Blair et les « modernisateurs » néo-travaillistes contre toute velléité de gauche dans la majorité dite plurielle. En mai 1999, Nicolas Sarkozy est allé plus loin en incitant certains de ses partenaires, mais néanmoins adversaires, de la droite française à prendre exemple chez les néo-travaillistes et à se réconcilier enfin avec le marché. Le blairisme est devenu l'aune à laquelle on mesure, dans les salles de rédaction et les salons parisiens, le degré « d'archaïsme » de la gauche (et d'une partie de la droite) française : ainsi, dans la *doxa* médiatique, plus on s'approche de Blair plus on est en phase avec la modernité (ou la postmodernité) politique. Cette idée simple fait d'ailleurs partie de la présentation promotionnelle que le blairisme fait de lui-même, usant et abusant d'une rhétorique qui (comme nous le verrons) se passe d'argumentation en recourant au simple jeu verbal des oppositions binaires auto-justifiantes (*Old Labour/New Labour*; archaïsme/[post-]modernité; repli national/internationalisme [marchand]; utopie/réalisme, etc.).

Si certains politiciens de droite se pâment devant la « nouveauté » blairiste et appellent de leurs vœux un blairisme à la française, les dirigeants du Parti socialiste français sont plus embarrassés. Le débat qui s'ouvre actuellement dans la gauche « plurielle » illustre bien cet embarras. Dans l'équipe gouvernementale, ainsi que dans les sphères dirigeantes du parti socialiste, il y a ceux et celles qui voient la stratégie blairiste d'un bon œil, rêvant d'en finir avec la version de gauche de l'exception française. Ainsi, par exemple, Martine Aubry a fourni une préface fort élogieuse à la version française du livre de Blair dans laquelle elle décrit la stratégie de Blair comme « le pari de la gauche gagnante »*[1], et Claude Allègre semble vouloir œuvrer à une transformation d'inspiration blairiste du système éducatif français, en y faisant souffler le vent vivifiant du marché, et en jouant les associations de parents d'élèves (transformées pour les besoins de la cause en regroupements de consommateurs) contre les « conservatismes » enseignants. Mais justement, la France n'est pas le Royaume-Uni, et n'est pas Anthony Blair qui veut. Si les contours précis de la victoire blairiste aux élections législatives de mai 1997 furent largement déterminés par la domination politique et intellectuelle du thatchérisme et par les défaites répé-

---

* Les notes sont placées en fin d'ouvrage pages 117 à 124.

tées du travaillisme britannique, la « majorité » plurielle
française sort d'une tout autre histoire et d'une conjonc-
ture politique bien différente. Il suffit de rappeler ici que
le programme socialiste pour les élections législatives de
1997 portait fortement l'empreinte de ce tremblement
de terre social qu'était le mouvement de novembre-
décembre 1995, alors que celui des néo-travaillistes se
réduisait à une tentative habile de récupérer l'héritage
conservateur et ne jurait que par l'économie de marché,
la rigueur économique (qui rimait avec respect des marchés financiers) et la flexibilité du marché du travail (qui
se conjuguait avec le maintien des lois anti-syndicales
héritées de la période conservatrice). Dans ce sens, Blair
a pu profiter des défaites répétées du mouvement travailliste britannique alors que la gauche institutionnelle
française reste encore contrainte par un mouvement
social dont le capital symbolique est loin d'être épuisé.

Les socialistes français ont adopté une attitude
publique de prudence envers l'expérimentation blairiste,
mais qui peut confiner parfois aussi à la complicité. On
est là au centre des contradictions et des ambiguïtés de la
social-démocratie contemporaine. Ainsi, par exemple,
lorsqu'éclata la polémique publique en France autour de
l'article de Pierre Bourdieu, « Pour une gauche de
gauche », publié par *Le Monde* en avril 1998, le secrétaire
national du parti socialiste, Alain Bergounioux, vola au
secours du *New Labour* sous direction blairiste, accusant
Bourdieu d'oublier, dans son dogmatisme anti-socialiste,
les « réalités » de la nouvelle politique britannique :
« l'instauration d'un minimum social national qui n'exis-
tait pas dans ce pays, un plan emploi-jeunes financé par
la fiscalité, la priorité donnée à l'éducation ». Pour ceux
qui connaissent la situation britannique, le flou des pro-
pos de Bergounioux est frappant : aucune mention du

niveau modeste du nouveau salaire minimum, pourtant l'objet de vives critiques de la part du mouvement syndical britannique (finalement fixé à £3.60 de l'heure contre les £4.50 demandées par les syndicats) ; aucune mention du caractère musclé du « plan emploi-jeunes » assorti de menaces de retrait d'allocations pour ceux et celles qui refuseraient les (petits) boulots ou stages proposés ; aucune mention de la campagne de dénigrement contre les « mauvais enseignants » menée par la direction travailliste, avec dénonciation publique et licenciement des fautifs à la clé. Plus récemment, dans le premier numéro de la *Revue socialiste* d'avril 1999, Jospin évoque la « troisième voie » de Blair, de Clinton et de Prodi dans les termes suivants : « Si la "troisième voie" se situe entre le communisme et le capitalisme, alors elle n'est qu'une nouvelle appellation du socialisme démocratique, ce qui ne veut pas dire qu'en France nous pensions à l'identique. Si, en revanche, elle veut s'intercaler entre la social-démocratie et le libéralisme, alors je ne la reprends pas à mon compte. »

Or, il n'est qu'à lire les prises de position réitérées de Blair – et le Premier ministre les a certainement lues – pour savoir que le premier terme de cette alternative n'a jamais été envisagé par le dirigeant néo-travailliste. La troisième voie, telle qu'elle est présentée par Anthony Giddens dans son livre ainsi intitulé [2], et plus encore dans l'interprétation blairiste, réitérée à maintes reprises dans ses écrits ainsi que dans ses discours publics, rejette sans aucune ambiguïté ce que Blair appelle la vision « quasi-marxiste » de la « vieille gauche » travailliste. Elle refuse tout aussi vigoureusement les principaux fondements de la social-démocratie européenne d'après-guerre : interventionnisme économique et social ; fiscalité redistributive ; défense hardie d'un État social ;

reconnaissance du rôle positif des organisations syndicales ; critiques des injustices sociales générées par le
capitalisme ; méfiance envers le libre jeu des mécanismes
du marché.

Comme le rappelle John Gray, philosophe thatchérien
récemment converti à un blairisme « critique », très
écouté de Blair lui-même (qui le cite dans ses discours
politiques), et un des principaux propagandistes universitaires de ladite « troisième voie » : « Les sociaux-démocrates n'ont pas saisi que le thatchérisme était un projet
de modernisation aux conséquences profondes et *irréver-*
sibles [c'est nous qui soulignons] pour la vie politique en
Grande-Bretagne. La question ne saurait plus être désormais "comment sauver les restes de la social-démocratie
des ruines du thatchérisme ?" mais plutôt, "quel est le
successeur du thatchérisme ?" [3] ».

Pour Gray, ainsi que pour le groupe autour de Blair, il
ne s'agit plus de revenir à une stratégie social-démocrate,
et encore moins à des positions socialistes, mais plutôt
de construire sur le terrain déblayé (peut-être un peu
trop) par la révolution néo-libérale. Tel est le sens de la
« modernité » ou comme dirait le député britannique
Denis McShane, blairophile après avoir été mitterando-
lâtre et auteur de plusieurs interventions néo-travaillistes
dans la presse française, de la « post-modernité » politique. Une des spécificités du blairisme est d'avoir tenté
de théoriser leur rupture avec la gauche, souvent incar-
née dans la presse britannique par l'actuel gouvernement
français. Il faudrait cependant se garder d'oppositions
aussi simplistes : les rapports entre l'évolution de la
gauche française depuis vingt ans et celle des travaillistes
britanniques sont plus complexes. Ainsi, le « tournant »
du gouvernement socialiste français de 1983 a participé
à sa façon à la généalogie du néo-travaillisme et le néo-

travaillisme désormais théorisé pourrait bien devenir l'avenir pratique du socialisme français, à défaut d'être son avenir théorique.

Le blairisme, même s'il a des racines fortes dans l'histoire travailliste britannique récente et moins récente et s'il constitue une réponse particulière à la situation héritée des dix-huit ans d'exercice du pouvoir par un parti conservateur britannique restructuré en formation de combat néo-libéral, est aussi un produit destiné à l'exportation. Blair et ses proches n'ont pas cessé de le répéter : ce qui est bon pour la Grande-Bretagne peut et doit l'être aussi pour les autres pays européens. Celui qui se laisse volontiers présenter comme le digne héritier de la Dame de Fer dans les domaines économique et social emprunte également à l'ancienne dirigeante conservatrice une certaine vision du Royaume-Uni, une vision qui n'est pas dépourvue de messianisme. Comme bien des dirigeants britanniques depuis deux siècles, Blair croit en sa mission « civilisatrice ». Il est persuadé que les Britanniques doivent aujourd'hui montrer le chemin aux autres Européens ; un chemin qui mène vers l'acceptation enthousiaste des règles du marché et la promotion de valeurs, que l'on n'aurait pas hésité à qualifier de capitalistes il y a à peine quelques années. C'est un choix politique comme un autre, et bien sûr, en cette fin de siècle, il ne manque pas de chantres de l'économie de marché qui, comme Blair, n'ont pas de mots assez forts pour évoquer l'efficacité de ses mécanismes invisibles et la grandeur de ses prouesses visibles (même si le ton est peut-être aujourd'hui un peu moins assuré qu'il y a cinq ans, avant la crise asiatique et l'effondrement de l'économie de marché russe). Ce qui est peut-être plus surprenant, c'est que tout cela est dit au nom de la *gauche*, une gauche, qui plus est, qui se pense comme la seule envisageable face aux défis de la modernité et qui frappe toute autre vision de gauche de qualificatifs largement empruntés à la gérontologie.

Car le blairisme est aussi cela : un combat sans merci contre la gauche dite « vieille » et contre ses manifestations intellectuelles et politiques, contre tout ce qui pourrait rappeler que la gauche puise ses valeurs dans une tradition faite de solidarité, de combat pour l'égalité et surtout de luttes contre les effets désastreux du « libre jeu des mécanismes du marché ». Le parti néo-travailliste sous direction blairiste est mené aujourd'hui d'une main de fer et l'on n'y supporte pas la dissonance : pour ceux et celles qui sont « *off-message* » (c'est-à-dire en contradiction avec la ligne officielle du parti, selon un néologisme blairiste) le message de retour est clair : se soumettre ou se démettre. Ainsi, parmi d'autres, Ken Coates, un ancien député européen bien connu des militants du mouvement social français auxquels il a apporté son soutien, l'a appris à ses dépens. Pour s'être opposé publiquement aux dérives blairistes, il est aujourd'hui exclu des rangs d'un parti dont il fut pendant longtemps un des piliers (de gauche).

Il est temps peut-être de sortir du brouillard artificiel qui entoure Blair et le blairisme, et de regarder de près comment la conquête néo-travailliste s'est effectuée et surtout quels ont été les effets de l'arrivée au pouvoir des blairistes. Les réponses à ces questions, bien sûr, ne peuvent s'articuler que dans une analyse de la situation politique, économique et sociale de la Grande-Bretagne contemporaine. Étant donné le positionnement géopolitique particulier de ce pays et les ambitions de Blair, que nous venons d'évoquer ici, ces réponses ne peuvent laisser indifférent le public européen. Dans les perspectives qui s'ouvrent aujourd'hui pour la France, la

Grande-Bretagne est, en quelque sorte, un de ses avenirs possibles et le blairisme est l'une des voies que pourrait emprunter tout ou partie de la gauche française, l'adoptant comme label explicite ou, plus vraisemblablement, dans l'obscurité de la pratique. Il y a, dans les médias comme dans les partis politiques institutionnels suffisamment de partisans de cette orientation pour qu'elle mérite un regard critique.

En Grande-Bretagne, comme nous le verrons, le blairisme constitue une mise en cause fondamentale du pluralisme politique tel qu'il s'est développé depuis l'émergence d'un mouvement ouvrier doté de ses propres organisations syndicales et politiques et d'une vision autonome de l'avenir économique et social. En épousant une vision de marché de la société britannique et en écartant, avec les précautions rhétoriques voulues, la tradition travailliste, qui dans *toutes* ses variantes restait critique envers le fonctionnement de l'économie de marché, les blairistes espèrent clore autoritairement un débat vieux de plus d'un siècle, autour duquel la gauche et la droite britanniques se sont structurées. L'électorat britannique aurait désormais le choix entre les réalistes du marché (néo-travaillistes) et les fondamentalistes du marché (néo-thatchériens), nouvelle configuration dans laquelle les catégories de gauche et de droite semblent effectivement bien inopérantes. On comprend la joie avec laquelle cette nouvelle donne de la vie politique britannique a été accueillie dans les milieux d'affaires (qui ont apporté, comme il se doit, un soutien significatif aux « réformes » blairistes et un apport financier non-négligeable à la campagne électorale des néo-travaillistes en 1997) et jusque dans les organisations proches de l'ancienne majorité conservatrice (c'est le cas, par exemple, de l'*Adam Smith Institute, think tank* néo-libé-

ral, et de son directeur, Madsen Pirie, qui ont très tôt
compris la signification historique de l'évolution des
néo-travaillistes, ou du *Centre for Policy Studies*, dont la
directrice a récemment souligné, pour s'en féliciter, les
continuités entre Blair et Thatcher, fondatrice de ce
même centre [4]).

Les blairistes se présentent volontiers comme des
« radicaux », des hommes et des femmes épris de modernité et qui savent « penser l'impensable » (une formule
empruntée, comme souvent chez les néo-travaillistes,
aux combattants néo-libéraux de la révolution thatchérienne). D'un côté il y aurait une gauche empêtrée
encore dans l'étatisme, rendue politiquement et écono-
miquement analphabète par la vulgate keynésienne (ou
pire, marxiste), attachée sentimentalement à un État-
providence qui a vécu et qui pose aujourd'hui autant de
problèmes qu'il en résout. Elle serait incapable de comprendre l'évolution de nos sociétés vers plus de liberté,
plus de responsabilité individuelle, plus de possibilités
de promotion sociale, dans le cadre général d'une mondialisation qui, certes, comporte des dangers (la généra-
lisation du risque et de l'insécurité) mais qui ouvre des
horizons insoupçonnables pour qui veut les voir. En
face de cette gauche se dresserait le projet modernisateur qui a su, sans dogmatisme et sans a priori, tirer
toutes les conséquences de la révolution néo-libérale
(sans nécessairement rejoindre les révolutionnaires de
droite dans tous les domaines). Il faut donc, selon les
modernisateurs auto-proclamés, sortir du conservatisme
de gauche, de la défense des acquis archaïques, des vieux
schémas oppositionnels (le *conflit* n'a aucune place dans
la vision blairiste) [5]. En se mettant du côté du mouvement, contre l'immobilisme, le blairisme a séduit une
partie de la gauche britannique (comme nous le ver-

rons, il a même été *porté* par une partie de la gauche travailliste) et apparaît aujourd'hui comme le sens commun surtout de ces couches moyennes anglaises (*Middle England*) que les dirigeants néo-travaillistes ne cessent de flatter. Il a sans doute, pour ces raisons, des atouts réels et des appuis considérables dans le débat politique européen (c'est le sens du rapprochement entre Schröder et Blair et de la tentative de constitution d'un axe « social-libéral » modernisateur européen entre leurs deux partis). C'est d'abord par une analyse de l'histoire, de la rhétorique et des réalités de la *modernisation* du Parti travailliste que nous tenterons de mieux cerner les spécificités du blairisme.

1

« Se moderniser ou mourir »*

---

* C'est sous la forme d'une injonction à ses partenaires (*Modernize or die*) que Blair évoqua sa propre vision de la modernisation lors du congrès des partis socialistes européens à Malmö, en Suède, en juillet 1997.

Lors des élections législatives britanniques de 1983 deux jeunes députés nouvellement élus ont rejoint les rangs clairsemés de l'opposition travailliste : Gordon Brown et Anthony Blair auraient sans doute eu du mal à imaginer qu'ils seraient un jour respectivement chancelier de l'Échiquier et Premier ministre britanniques. Et pour cause. Le Parti travailliste était au creux de la vague et venait d'enregistrer son plus mauvais score depuis la Première Guerre mondiale : avec 27,6 % des voix il était talonné de près par l'alliance des deux partis centristes – le parti libéral et le nouveau parti social-démocrate – qui totalisaient 25,4 % des voix. Beaucoup d'observateurs de la vie politique britannique envisageaient une éclipse finale pour les travaillistes dans un très proche avenir.

La révolution thatchérienne était en marche et, après deux ans d'impopularité sans précédent (1979-1981) pendant lesquels le gouvernement conservateur avait administré un redoutable « *short, sharp shock* » à l'économie britannique, ruinant de manière définitive une partie de la base industrielle du pays et jetant des centaines de milliers de travailleurs au chômage, les thatchériens avaient commencé à surfer sur la vague guerrière provoquée par le conflit des Malouines et à bénéficier de la reprise économique qui soufflait du côté des États-Unis.

MONTÉE DE LA GAUCHE TRAVAILLISTE
ET DIVISIONS INTERNES

L'échec des gouvernements travaillistes de Wilson (1974-1976) et de Callaghan (1976-1979), leur incapacité à sortir le pays d'une crise à multiples facettes devenue endémique, leur refus quasi-systématique de suivre les recommandations du congrès du Parti travailliste (de plus en plus dominé par la gauche), avaient plongé le parti dans la division et les récriminations mutuelles. D'un côté, l'aile droite traditionnelle qui avait longtemps tenu l'appareil du parti avec le soutien des dirigeants du mouvement syndical se trouvait en perte de vitesse, obligée de constater la fin du corporatisme et de la gestion tripartite de l'économie britannique (État, employeurs, syndicats) qui avaient fait son fonds de commerce, mais incapable de proposer un modèle de rechange ; de l'autre côté, une aile gauche avec le vent en poupe (mais répartie entre des tendances très diverses), qui avait renforcé ses positions au cours des années 70, à la fois au sein du mouvement syndical et au sein de la direction travailliste et qui préconisait désormais une « stratégie économique alternative » de rupture avec le capitalisme comportant, entre autres, des nationalisations massives, le contrôle syndical de la gestion des entreprises, le retrait britannique du marché commun et la réorientation des échanges britanniques vers le tiers-monde.

Ce sont cette stratégie et les avancées de la gauche dans l'ensemble du mouvement travailliste qui avaient provoqué le départ de la « bande des quatre » dirigeants travaillistes pour former le nouveau parti centriste (le parti social-démocrate – SDP) en 1981 [6], ainsi qu'une campagne virulente d'une grande partie de la presse britannique contre la gauche travailliste et ses dirigeants. C'est l'époque de la démonisation du représentant de l'aile gauche du parti, Tony Benn, ancien ministre de l'Industrie du gouvernement Wilson, que les services américains considéraient comme un « communiste », alors qu'il n'était que le représentant contemporain d'un vieux courant d'égalitarisme protestant. On voit également se développer, à partir de sa prise de fonctions en 1980, une campagne de décrédibilisation du nouveau dirigeant travailliste, Michael Foot, dont « l'incompétence » fut maintes fois soulignée par la presse. Foot était coupable, aux yeux de la presse de droite, non seulement d'avoir commencé sa carrière politique sur l'aile gauche du travaillisme (co-signant un petit livre, intitulé *Keep Left*, en 1947 contre l'alliance anglo-américaine – alliance qui devait constituer le socle de la politique étrangère de la Grande-Bretagne dans la période de l'après-guerre), mais surtout d'être resté sur cette aile gauche, alors que tant d'autres avaient « par réalisme » rejoint les dirigeants « naturels » du parti sur son aile droite. Tout a donc été mis en œuvre pour contenir cette montée de la gauche et pour déstabiliser ses principaux dirigeants.

1983 sera en fait un tournant dans l'histoire du travaillisme britannique. La domination finalement éphémère de la gauche sera sapée désormais de l'intérieur par les conflits grandissants entre la gauche dite dure (*Hard Left*), autour de Tony Benn ou d'Arthur Scargill du syndicat des mineurs, mais à laquelle furent également associés les entristes trotskistes de *Militant* (dont le rôle fut déterminant dans la victoire municipale travailliste en 1983 à Liverpool – désormais leur base essentielle), et la gauche dite molle (*Soft Left*) qui devait former le socle des « modernisateurs » regroupés autour de Neil Kinnock, élu à la tête du parti en 1983. Le clivage s'organisa autour de la stratégie à suivre pour rénover les bases sociales et poli-

tiques du travaillisme et donc sur le mode et le contenu
de la rénovation travailliste.

D'un côté, donc, une gauche héritière d'un dogmatisme ouvriériste dont les racines vont loin dans l'histoire
du mouvement ouvrier britannique et qui comptait sur
« l'avant-garde » ouvrière et syndicale pour abattre le thatchérisme, dont elle refusait de reconnaître les spécificités
et la nouveauté (considérant que le thatchérisme n'était
que l'expression contemporaine du vieux conservatisme
britannique). Une telle vision n'était pas complètement
dépourvue de sens étant donnée la puissance revendica-
tive et défensive du mouvement ouvrier britannique dans
les années 70 (où le taux de syndicalisation avait atteint
les 50 % et mordait très sérieusement bien au-delà des
secteurs traditionnels de forte syndicalisation). C'est bien
à cause de l'action du syndicat des mineurs en 1973-
1974 que le gouvernement conservateur de Heath est
tombé ; et entre 1976 et 1979 les syndicats ont puissam-
ment résisté à la nouvelle politique d'austérité introduite
par les travaillistes sous la pression du FMI.

De l'autre côté, une gauche très influencée par le multi-
culturalisme et qui rêvait de nouvelles alliances arc-en-ciel
qui réuniraient les victimes des dominations diverses –
économique, raciale, sexuelle – dans un combat commun
contre le thatchérisme. En dépit de son extériorité au
mouvement travailliste et du nombre limité de ses partisans, l'aile euro-communiste du Parti Communiste de la
Grande-Bretagne, et surtout son journal théorique,
Marxism Today, jouèrent un rôle clé dans le développement de cette gauche « multiculturelle ». Ainsi, des intellectuels de renom, comme le sociologue Stuart Hall ou
l'historien Eric Hobsbawm, ont pu apporter leur soutien
à ce qu'ils percevaient sans doute à l'époque comme un
travail nécessaire de rénovation de la gauche du mouve-

ment travailliste. Hall, par exemple, fut le premier à proposer une analyse fine de la nouveauté du projet thatchérien, qu'il qualifia de « populisme autoritaire » et à exhorter la gauche à prendre au sérieux la stratégie des nouveaux conservateurs et sa rhétorique mobilisatrice et à développer sa propre contre-stratégie « hégémonique » ; il fut rejoint, dans les pages de *Marxism Today*, par Andrew Gamble, autre analyste influent de la nouvelle configuration idéologique et politique qui se construisait à droite. Hobsbawm, dès la fin des années 70, avait attiré l'attention sur la crise structurelle du travaillisme dans un texte qui devait résonner tout au long des années 80, intitulé *The Forward March of Labour Halted*. Dans une série d'articles publiés à la suite de cette première intervention, il défendit, lui aussi, une vision alternative de la reconstruction de la stratégie travailliste qui devait, selon lui, quitter les chemins étroits de l'économisme et du « classisme » pour forger de nouvelles alliances sociales et politiques dans un « front populaire » contemporain.

Au cours des années 80, dans un climat de plus en plus hostile à toute forme de radicalisme à gauche, l'opposition entre ces deux courants de la gauche travailliste devint insurmontable, se cristallisant autour de plusieurs questions et événements cruciaux : l'organisation interne du Parti travailliste, et les poids respectifs du groupe parlementaire, des adhérents individuels et des syndicats qui lui sont affiliés ; la stratégie du parti et surtout les alliances qu'il devait forger (ou non) avec d'autres groupes d'intérêt et d'autres catégories sociales que ceux qui étaient habituellement considérés comme faisant partie du « mouvement ouvrier » ; l'analyse du thatchérisme, de son rapport avec une tradition conservatrice plutôt pragmatique et des effets que sa popularité pouvait avoir sur la stratégie de la gauche ; l'attitude à adopter par rapport aux groupes politiques organisés à l'intérieur du Parti travailliste, et surtout par rapport au groupe trotskiste, *Militant*, tant à la municipalité de Liverpool que dans les rangs du parti, sachant que *Militant* fonctionnait comme un parti dans le parti, avec son propre programme « de transition » qui n'avait que peu de choses à voir avec le programme travailliste officiel. Dans le même ordre d'idées, la bataille fit rage aussi quant à la conduite à adopter pendant les grèves dures qui marquèrent le milieu de la décennie : grève des mineurs de 1984-1985 contre le plan de fermetures des mines, menée par le *National Union of Mineworkers* sous la direction d'Arthur Scargill, qui du début à la fin du conflit, et jusqu'à la défaite finale, refusa d'organiser une consultation de l'ensemble des mineurs ; grève des ouvriers du livre contre les menées anti-syndicales de Rupert Murdoch culminant dans des piquets de grève massifs à Wapping en janvier 1987.

Gauche « dure » et gauche « molle » s'affrontaient sur l'ensemble de ces questions, la plupart du temps sans tenir compte de l'effet de ces affrontements à l'extérieur du mouvement travailliste. Les gouvernements Thatcher du milieu et de la fin des années 80 purent ainsi travailler sans se soucier d'une opposition politique rendue presque totalement inefficace par des conflits aigus et incessants.

LA GAUCHE ET LA MODERNISATION

Ce fut finalement grâce au soutien de la « gauche molle » que celui qui remplaça Foot à la tête du parti à partir de 1983, Neil Kinnock, a pu mener avec succès sa bataille contre la « gauche dure » et asseoir son projet modernisateur aux conséquences imprévisibles. Dès le départ les deux jeunes députés, Gordon Brown et

Anthony Blair, furent étroitement associés à l'entreprise de modernisation lancée par Kinnock. Brown arrivait d'Écosse où ses activités d'universitaire et de journaliste de télévision ainsi que d'animateur de discussions dans la gauche travailliste l'avaient auréolé d'une solide réputation de militant ; Blair, avocat spécialisé dans le droit du travail mais moins marqué à gauche que Brown, sut rapidement s'installer dans le sillage de Kinnock, grâce à une capacité de travail remarquable et une gestion efficace de ses interventions publiques. Dès sa deuxième année à la Chambre des Communes Blair avait déjà pris place parmi les dirigeants parlementaires du parti.

C'est au cours de ce processus qui les opposait de plus en plus à la gauche de leur parti et de moins en moins à une droite travailliste devenue aphone, que Brown et Blair firent leurs premières armes et forgèrent des alliances solides pour l'avenir. C'est également pendant cette période que la *doxa* des modernisateurs travaillistes s'est élaborée : elle comporte à la fois une vision du présent et de l'avenir, dans laquelle la place des « acquis » thatchériens va peu à peu évoluer, et une reconstruction du passé, dans laquelle les « excès » de la gauche travailliste à la fin des années 70 et au début des années 80 et les « abus » du mouvement syndical vont être de plus en plus mis en lumière, pour devenir à la fin l'*unique* explication des difficultés du travaillisme pendant le long règne des thatchériens. Pour avancer leur projet dans le parti et au dehors, les modernisateurs ont été amenés de plus en plus explicitement à discréditer l'ensemble de la période marquée par la montée de la gauche travailliste ; ils rejoignaient ainsi, sur tous les points essentiels, l'analyse de l'évolution politique de la société britannique qui avait été d'abord élaborée dans les *think tanks* de la droite néo-libérale pour ensuite être largement diffusée dans les médias.

Dans le parti, cette reconstruction du passé récent, qui permettait d'attribuer à la gauche politique et syndicale la responsabilité entière de la « coupure » entre les travaillistes et la société britannique et donc les échecs électoraux, ouvrait la voie à la réconciliation avec la vieille droite du parti (très méfiante envers Kinnock, longtemps associé au groupe de gauche autour de la revue *Tribune*) et à l'intégration de cette droite dans le bloc autour des modernisateurs. D'ailleurs, vers la fin du processus, et surtout après l'élection de Blair à la tête du parti on verra refluer vers le Parti travailliste, pour prendre place dans le groupe dirigeant, certains de ceux qui l'avaient quitté en 1981 pour fonder le parti social-démocrate.

En dehors du parti, la nouvelle version de l'histoire de la Grande-Bretagne était explicitement destinée à séduire ces couches moyennes qui, selon la vision modernisatrice, avaient été effrayées par « l'extrémisme » de la gauche de la fin des années 70 et du début des années 80. D'ailleurs, toute l'histoire de la « modernisation » du travaillisme s'articule autour de nouveaux rapports avec ces couches moyennes, perçues comme primordiales dans le rapport de forces électoral et peu à peu dotées de qualités sociales et politiques intrinsèques par les modernisateurs (elles finissent par être présentées, selon la formule de Crowley, comme le « lieu de dépassement des contradictions de la société industrielle » [sic]).

FACTEURS EXTERNES DANS LA MODERNISATION TRAVAILLISTE

Plusieurs facteurs extérieurs joueront aussi contre la gauche travailliste pendant la période de la « modernisation ». Nous avons évoqué l'hostilité de l'environnement médiatique, et surtout de la presse dite « populaire » dont le *Sun* est l'exemple à la fois le plus parlant et le plus affligeant, spécialisé dans les phrases et la pensée courtes. On n'y manquait pas une occasion de monter en épingle sinon d'inventer les excès de ce qu'on appelait la « gauche barjo » (« *the loony left* »). De la défense des homosexuel(le)s par certaines municipalités sous direction travailliste à la grève des mineurs de 1984-1985, tout était bon pour susciter le rejet viscéral de la gauche par le lectorat des tabloïds. Lorsque l'on sait le rôle joué par les journaux du baron australien de la presse britannique et propriétaire du *Sun*, Rupert Murdoch, à la fois dans la promotion des « valeurs » du thatchérisme et dans le travail idéologique de disqualification de la gauche pendant les années 80, on mesure toute l'importance (et le cynisme) du rapprochement entre ce dernier et le nouveau dirigeant du Parti travailliste, Anthony Blair, juste avant les élections législatives de 1997.

Les influences étrangères, directes et indirectes, jouèrent sans doute aussi un rôle non négligeable dans l'affaiblissement de la gauche britannique au cours des années 80. À commencer par la « pédagogie de l'échec » de l'expérience mitterrandienne en France, qui avait au début suscité intérêt et espoir en Grande-Bretagne et fonctionne encore aujourd'hui dans le discours des modernisateurs travaillistes comme l'illustration définitive de l'impuissance de toute politique nationale qui va à l'encontre des tendances dominantes de l'économie mondiale. À partir du tournant de 1983 par lequel la gauche française au pouvoir signala son ralliement à l'économie de marché et abandonna de ce fait son projet de « changer la vie », et devant l'influence internationale grandissante du modèle thatchérien (de l'Australie à la Pologne, en passant par le Chili de Pinochet), la scène politique internationale semblait transmettre un message simple et clair : pas de salut à gauche. Il va sans dire que l'effondrement des économies du bloc soviétique fut largement instrumentalisé pour confirmer ce message.

LA « RELATION SPÉCIALE »

Enfin, étant donnée la « relation spéciale » qui lie le Royaume-Uni aux États-Unis, et le rôle de partenaire diplomatique et militaire dominé, accepté sinon revendiqué par l'ensemble des gouvernements britanniques d'après-guerre, on peut comprendre tout l'intérêt que portaient les Américains à ce qui se passait dans le mouvement travailliste, toujours perçu comme une source potentielle de dangers pour leurs intérêts. Ce fut encore plus le cas lorsque la gauche travailliste commença à exprimer avec vigueur, par le biais de la *Campaign for Nuclear Disarmament* (dont Blair fut un jour membre), son rejet de la stratégie américaine de développement de son implantation militaire en Europe, et par l'*Alternative Economic Strategy*, un nationalisme économique qui mettait sérieusement en cause des intérêts du « partenaire » américain.

Les cercles dirigeants américains avaient toujours suivi de près et tenté d'infléchir l'évolution interne du mouvement travailliste. Depuis la Seconde Guerre mondiale un lobby pro-américain y travaillait plus au moins à visage découvert, en encourageant les éléments « modérés », non-socialistes, et en tentant de limiter l'influence des « communistes » dont les Américains, comme nous l'avons vu dans le cas de Tony Benn, ont toujours eu une définition assez extensible. Dès le premier gouvernement travailliste d'après-guerre sous la direction de Clement Attlee, l'influence américaine fut sensible : le premier attaché du travail (*labour attaché*) des États-Unis en Grande-Bretagne, Sam Berger, avait un accès direct aux échelons les plus élevés du gouvernement travailliste, y compris auprès du Premier ministre. En la personne d'Ernest Bevin, figure de la droite travailliste et ministre des Affaires étrangères, les Américains avaient un allié indéfectible. Ce que l'auteur d'un ouvrage récent sur le néo-travaillisme appelle « la pénétration américaine du Parti travailliste britannique »[7] s'est pourtant fortement développé avec la Guerre Froide, et on voit se développer dans les années 50 et 60 une multiplicité d'institutions et d'initiatives tendant à rapprocher les dirigeants amis du mouvement travailliste et des syndicats britanniques des positions américaines.

Sous l'égide d'un seul des programmes du plan Marshall, l'*Anglo-American Council on Productivity*, 900 personnes, cadres et responsables syndicaux, ont visité les États-Unis dans l'immédiat après-guerre, lançant ainsi un mouvement qui ira en s'amplifiant pendant toute cette période. À partir des années 50, de nombreux syndicalistes britanniques ont reçu une formation dans des stages organisés par la *Harvard Business School*. Dans le cadre d'un soutien américain général à la gauche non-communiste en Europe, le programme le plus développé fut sans doute le *Congress for Cultural Freedom* (CCF), qui organisa des conférences partout dans le monde et lança une série de revues, dont *Encounter* en Grande-Bretagne qui soutenait fortement le courant « révisionniste » de la droite travailliste pendant les années 50 contre une gauche très largement anti-américaine et pacifiste qui se battait bec et ongles pour maintenir les objectifs socialistes inscrits dans la constitution du Parti travailliste (ce fameux « article 4 » dont l'abrogation fut un des premiers actes symboliques de Blair après son accession à la direction du parti).

Plusieurs politiciens et syndicalistes travaillistes qui devaient jouer un rôle de premier plan dans les débats des années 70 et 80, et dans le combat contre la gauche, furent étroitement liés au CCF, écrivant dans *Encounter*, ou militant dans la faction travailliste atlantiste, la *Campaign for Democratic Socialism* (fondée en 1960, et soupçonnée, comme le CCF, d'avoir des liens avec la CIA). Ainsi Denis Healey, qui, en tant que chancelier de l'Échiquier du gouvernement travailliste de Callaghan, inaugura le virage monétariste de ce dernier en 1976 sous la pression du FMI, était un habitué de ces rencontres anglo-américaines ; Roy Jenkins, qui mena la révolte de la droite travailliste contre la direction du parti à la fin des années 70 et provoqua une scission pour fonder le parti social-démocrate en 1981 (sans doute une des causes principales de la déroute travailliste pendant la décennie thatchérienne), était également un habitué des conférences du CCF ; Peter Jay, responsable de la rubrique économique du *Times* de 1967 à 1977, familier des cercles dirigeants du Parti travailliste (fils d'un ancien ministre travailliste, il était aussi le gendre de James Callaghan) et converti au monétarisme au début des années 70, fut aussi parmi ceux et celles qui écrivaient dans *Encounter*.

Beaucoup de dirigeants travaillistes qui ont émergé autour du projet de « modernisation » du parti à partir de 1983 ont (pour certains depuis longtemps) des liens avec ce que l'on pourrait appeler un réseau informel d'amitiés anglo-américaines au sein du mouvement travailliste. Deux institutions ont joué un rôle important dans la structuration de ce réseau : le *British-American Project for a Successor Generation*, où l'on trouve Peter Mandelson, ministre chargé des Affaires Nord-Irlandaises dans le gouvernement de Blair et généralement considéré comme l'éminence grise de ce dernier (malgré une première démission du gouvernement, à la suite de révélations sur un « emprunt » non-déclaré au fisc, il fut néanmoins chargé, du côté travailliste, de la rédaction du programme commun Blair-Schröder pour les élections européennes de juin 1999), George Robertson, ancien ministre de la Défense du gouvernement travailliste et récemment nommé au poste de secrétaire général de l'*OTAN*, ou Marjorie Mowlam, ancienne responsable des Affaires Nord-Irlandaises, pour ne mentionner que ceux-là ; le *Trade Union Committee for European and Translatlantic Understanding* qui encourage et organise la « compréhension » des intérêts américains dans le mouvement syndical britannique, et réunit une brochette assez représentative de la droite syndicale britannique (de Bill Jordan, actuel dirigeant de la Fédération internationale des Syndicats libres, aux Lords Eric Hammond et Frank Chapple, qui avaient été aux avant-postes de la bataille contre la gauche dans le mouvement syndical dans les années 70). Que cela soit au Ministère de la Défense actuel, dans le sillage de George Robertson, ou à l'Échiquier, autour de Gordon Brown, nombreux sont les responsables ou les conseillers formés aux États-Unis, et pour certains d'entre eux il s'agit d'atlantistes convaincus et militants. On note, d'ailleurs, dans les prises de position publiques des travaillistes des références de plus en plus élogieuses aux réalités sociales et économiques américaines.

Étant données la puissance et la prégnance de ce réseau dans la vie politique britannique contemporaine, et son insertion de plus en plus importante dans le mouvement travailliste, ce n'est sans doute pas le fruit d'un pur hasard politique qu'une dimension importante de la « modernisation » des années 80 et 90 ait été une révision des attitudes de la « gauche » kinnockienne et ensuite blairiste face aux États-Unis, et l'abandon progressif de la position dite « unilatéraliste » (c'est-à-dire en faveur d'un désarmement nucléaire unilatéral de la Grande-Bretagne) dont l'adoption avait été une des marques décisives du tournant à gauche de la direction travailliste à la fin des années 70. Au moment où l'idylle politique entre Thatcher et le président Reagan atteignait son apogée, les « nouveaux » travaillistes trouvaient des points de rencontre idéologiques de plus en plus nombreux outre-Atlantique.

LES ENJEUX DE LA MODERNISATION

Mais revenons à l'examen de la « modernisation » prônée d'abord par Kinnock et ensuite par ses successeurs, John Smith et Anthony Blair. Il s'agissait, tout au moins dans les déclarations d'intention successives, de sortir le Parti travailliste de ce que beaucoup percevaient comme une spirale infernale du déclin, non seulement en revoyant de fond en comble la doctrine, la stratégie politique et la tactique électorale des travaillistes, mais aussi en prenant au sérieux la rénovation de l'image publique du parti, son impact dans l'opinion publique, l'efficacité, en termes de communication, de son « message ». Cette dernière dimension va prendre une importance grandissante à partir de 1985, avec le recrutement de Peter Mandelson comme directeur des campagnes électorales et de la communication de 1985 à 1990, pour devenir une obsession des néo-travaillistes. L'arrivée de Blair à la tête du parti en 1994 marqua le renforcement de cette démarche-là, transformée en véritable science de gouvernement : désormais *tout* ce que faisaient et disaient le Parti travailliste, sa direction, ses responsables était soumis au contrôle préalable des « spécialistes du message ».

Comme nous l'avons vu, entre 1983 et 1992 (date de
sa démission de la tête du Parti travailliste à la suite de la
quatrième défaite aux élections législatives en treize ans),
Neil Kinnock a pu largement jouer de sa réputation
d'homme de gauche pour avancer le projet de « modernisation » de son parti et pour neutraliser toute opposition
venant de la gauche. Des regroupements de gauche
importants, comme le *Labour Co-ordinating Committee*
(fondé en 1978, son activité initiale consistait à promouvoir les positions politiques de Tony Benn auprès de la
base du parti), se sont effectivement étroitement associés
à Kinnock pendant toute cette période. Avec le recul, on
peut néanmoins avancer que l'essentiel du travail de Kinnock pendant ses années de premier dirigeant travailliste,
fut de détacher le parti de son programme de gauche du
début des années 80 et d'écarter les éléments les plus
visibles (et, il faut le dire, les plus dogmatiques) de la
gauche dite « dure ». Ainsi s'explique le combat de Kinnock contre *Militant*, d'abord à Liverpool, mais ensuite
dans l'ensemble du parti pour pousser les trotskistes vers
la sortie. De la même manière, lorsqu'éclata la grève des
mineurs en 1984, Kinnock refusa de suivre la tactique
offensive adoptée par le président du syndicat, Arthur
Scargill, et marqua publiquement sa désapprobation par
rapport aux violences « des deux côtés » pendant le
conflit. Le travail de « nettoyage » entamé par Kinnock
lorsque la gauche tenait encore des positions fortes dans
le mouvement travailliste et qui ne semblait viser que les
représentants les moins respectables et les plus isolés de la
radicalité travailliste, s'est bien sûr poursuivi dans les
années 90 contre l'ensemble de la gauche travailliste.

La « rénovation » du Parti travailliste sous la direction
de Kinnock ressemble à un lent processus d'accommode-
ment avec la nouvelle donne thatchérienne. Ayant perdu

la bataille des idées (en fait, ne l'ayant jamais réellement engagée) contre les néo-libéraux pendant la période de la montée en puissance du thatchérisme, la direction travailliste est acculée à une série de reculades sous la pression conjuguée de la machine de guerre idéologique thatchérienne, largement relayée par la presse et les médias, et des « leçons » apparemment incontournables des sondages d'opinion. Sous l'influence grandissante de Peter Mandelson, la direction travailliste va reconstruire son programme à partir de ce qui semble acceptable à l'opinion publique, en tentant d'évacuer – dans la mesure où le rapport de forces au sein du parti le permet – les éléments analysés comme impopulaires (les *raisons* de cette impopularité supputée et surtout les *mécanismes de construction* de cette impopularité ne semblaient pas inquiéter outre mesure la nouvelle génération de cadres du Parti travailliste qui a émergé sous Kinnock – il suffisait que telle ou telle mesure soit enregistrée comme impopulaire pour que son éviction du programme travailliste soit inscrite, explicitement ou non, à l'ordre du jour, toujours bien sûr au nom de la « modernisation »).

Cette phase de la modernisation, qui va durer jusqu'en 1994, et qui couvre l'ensemble de la période de direction de Kinnock et de son successeur, John Smith (1992-1994), est donc essentiellement défensive. On abandonne telle ou telle position (sur la renationalisation des entreprises privatisées, sur la défense du logement social, sur les droits syndicaux, sur la protection de l'emploi…) sous la pression du thatchérisme, et souvent sans signaler l'abandon. La rhétorique oppositionnelle est maintenue mais elle devient de plus en plus creuse. Ce n'est qu'avec l'arrivée de Blair que l'on passe d'un discours défensif et passif (on regrette mais ne peut pas faire autrement) à un discours offensif, intégrant complètement et positivement les « acquis » néo-libéraux (soyons modernes et acceptons notre rôle de « post-thatchériens »).

Le travail de « modernisation » programmatique, inauguré sous Kinnock, va s'articuler autour de trois axes prioritaires [8] : transformer les propositions économiques travaillistes (tout en évitant des heurts frontaux avec l'opposition de gauche à l'intérieur du parti) ; repenser la « question » syndicale à la lumière de l'offensive anti-syndicale organisée par les thatchériens ; détacher le Parti travailliste de la politique de défense « non-nucléaire » mise en avant par le programme de 1983. Plus généralement il s'agissait de réinscrire le Parti travailliste dans le débat politique « sérieux » et, pour ce faire, de débarrasser le parti de tout ce qui pouvait nuire à son image de concurrent « crédible » des conservateurs. À partir de 1985, Peter Mandelson va mettre sur pied un dispositif « communicationnel » (la *Shadow Communications Agency*) à la tête du parti, faisant largement appel à des professionnels du marketing qui n'ont qu'un rapport ténu avec le travaillisme, qui sera chargé du suivi, voire de la surveillance, du discours public travailliste.

Tout sera passé au crible du regard « communicationnel » : de la politique sociale du parti (qui « l'identifiait trop fortement aux pauvres ») au look vestimentaire des dirigeants, en passant par des questions essentielles et constitutives de l'identité travailliste, comme, la défense de l'État social ou l'analyse de la pauvreté. Au nom, entre autres, d'une image politique plus soignée et plus persuasive, les dirigeants travaillistes sont de plus en plus nombreux à accepter que la stratégie de leur parti se construise autour du dénominateur commun ressortant des sondages et des campagnes de la presse tabloïde : ainsi se développe ce qu'un commentateur a appelé le côté populiste et illibéral (sur les questions « de société ») du nouveau travaillisme.

LA « CRÉDIBILITÉ » ÉCONOMIQUE,
SAUCE MODERNISATRICE

C'est surtout dans le domaine de la politique économique que les revirements seront les plus marqués. De la
demande de nouvelles nationalisations et d'un contrôle
accru sur l'activité économique, contenus dans le programme de 1983, on passera progressivement à l'abandon de la nationalisation, voire à l'acceptation de la
quasi-totalité du programme de privatisations engagé
sous Thatcher. Ici encore, l'évolution à l'étranger et en
particulier le revirement des socialistes français marqué
par le « ni-ni » de Mitterrand, ont fortement influé sur la
rénovation travailliste. La forte valorisation idéologique
du secteur privé de l'économie sous des gouvernements
socialistes français successifs, qui allait de pair avec la
réconciliation d'une partie de la gauche française « avec
l'entreprise » (c'est-à-dire avec les chefs d'entreprises et les
actionnaires) et la reprise plus ou moins honteuse des critiques néo-libérales du secteur public, voire des services
publics, ont largement facilité le travail des modernisateurs travaillistes britanniques en contribuant à créer un
« climat » idéologique européen, dans lequel les identités
de gauche pouvaient être plus aisément déconstruites. De
la même manière, les conservateurs et leurs relais parmi
les faiseurs d'opinions ayant imposé un nouveau sens
commun – croyait-on – autour de l'imposition et des
dépenses publiques (qui devaient être ramenées au niveau
le plus bas, sans tenir compte des conséquences sociales
inévitables d'une telle politique), la direction travailliste
se trouvait dans l'obligation d'accepter, dans un premier
temps malgré elle, ces nouvelles contraintes. Puisque les
sondages d'opinion les « informaient » du discrédit qui
entourait leur image de « parti de l'impôt lourd », il fallait

accepter, au nom de la survie électorale, non pas de mieux expliquer la nécessité de l'impôt comme vecteur de la justice sociale mais d'abandonner progressivement cet instrument essentiel de la redistribution. Les protestations contre la stratégie fiscale du parti conservateur (construite autour du refus de l'imposition « punitive » des couches sociales les plus aisées – notion que l'on trouvera plus tard comme partie intégrante de la rhétorique du blairisme) s'estompaient ; les ambitions fiscales travaillistes se réduisaient comme peau de chagrin.

Pour améliorer leur « crédibilité » sur le plan économique (crédibilité qui devait être validée par des commentateurs médiatiques, eux-mêmes très largement gagnés aux idées néo-libérales) le Parti travailliste fut amené sur le même terrain que les conservateurs ; à tel point que le débat économique entre les deux partis en fin de période de modernisation travailliste relevait de ce que l'on pourrait appeler, d'après Freud, « le narcissisme des petites différences ».

LA RUPTURE PROGRESSIVE AVEC LES SYNDICATS

Les rapports entre le Parti travailliste et les syndicats furent également un enjeu de la modernisation. Ils avaient été l'objet d'une rude bataille idéologique à partir du milieu des années 70, lorsque le groupe autour de Thatcher déclencha une attaque, sans précédent dans l'histoire du conservatisme britannique au XXe siècle, contre les organisations syndicales que le gourou des néo-libéraux, Friedrich von Hayek, décrivait comme « la vache sacrée » de la politique britannique. Il s'agissait d'abord, pour les néo-libéraux, de discréditer l'action syndicale afin de préparer l'opinion publique à une offensive législative et juridique contre les syndicats – offensive rendue nécessaire, *dixit* von Hayek, par la position de « monopole » occupée par les syndicats sur le marché du travail et par les entraves multiples à la « liberté » économique (et la liberté tout court) occasionnées par le recours à la grève et aux piquets de grève.

Une telle stratégie avait également d'évidents avantages politiques pour le parti conservateur, puisque les rapports entre les syndicats britanniques et le Parti travailliste sont historiquement très étroits : le Parti travailliste fut créé au début du siècle par le mouvement syndical pour assurer la représentation autonome des intérêts syndicaux et ouvriers au parlement et les syndicats maintenaient une présence massive au sein des organes de décision du parti. En discréditant voire en criminalisant l'action collective des syndicats, les conservateurs affaiblissaient du même coup l'adversaire politique travailliste. Mais en affaiblissant les syndicats, à partir de 1980 – par une série d'actes législatifs qui rendaient l'action syndicale de plus en plus difficile et de plus en plus sujette au contrôle étatique (même les règlements intérieurs des syndicats ont été mis sous tutelle par le législateur au cours des années 80 !) – les conservateurs espéraient aussi affaiblir le Parti travailliste sur le plan financier. En effet, ce dernier avait toujours tiré l'essentiel de ses ressources du soutien syndical.

Et il faut bien reconnaître que la manœuvre a largement réussi. Au fur et à mesure que les effectifs syndicaux baissaient, et avec eux les capacités financières des syndicats, le Parti travailliste fut contraint de rechercher d'autres sources de soutien financier. Seule la tentative législative (la Loi sur les syndicats de 1984) destinée à priver le Parti travailliste de la « cotisation politique » (*political levy*), prélevée sur la cotisation syndicale et versée au Parti travailliste, a échoué, puisque tous les syndicats qui ont organisé la consultation devenue obligatoire sur le maintien ou non de cette « cotisation », ont enregistré des majorités largement favorables à son maintien. Cependant, avec la perte d'un tiers de ses adhérents pendant la période thatchérienne, le mouvement syndical britannique a été moins en mesure de soutenir « l'aile politique » du mouvement. Qui plus est, le revirement entamé par Kinnock, pleinement assumé par Blair et destiné, sous la pression idéologique, à distendre les liens historiques avec le mouvement syndical aboutit tout naturellement à l'isolement accru de ce dernier. Cette dissociation croissante entre le Parti travailliste et le mouvement syndical qui l'a fait naître a aussi facilité la transmutation politique du parti. En réduisant, numériquement mais surtout symboliquement la représentation syndicale au sein du parti, les modernisateurs pouvaient d'autant plus facilement consommer la rupture avec toute la dimension ouvrière de la tradition travailliste. Comme le souligne Crowley :

« Sans le succès, et l'apparente popularité de cet assaut conservateur contre les syndicats, il n'aurait sans doute été ni nécessaire ni possible pour le Parti travailliste de se réinventer en profondeur » [9].

DE L'UNILATÉRALISME ANTI-NUCLÉAIRE À L'ATLANTISME

Le troisième point sur lequel les modernisateurs travaillistes achoppèrent au cours des années 80, et qui fut longtemps considéré par eux comme un obstacle à la « crédibilité » du parti auprès de l'opinion publique, fut la proposition de désarmement nucléaire unilatéral de la Grande-Bretagne incluse dans le programme électoral travailliste de 1983, accompagnée par l'esquisse d'une politique de défense non-nucléaire, qui conduirait à une baisse substantielle de dépenses militaires. Cette orientation du programme travailliste du début des années 80 refléta bien l'influence déterminante de la gauche travailliste à l'époque, une gauche qui avait une longue histoire d'accompagnement des mouvements pacifistes, et surtout du plus important d'entre eux dans la période de l'après-guerre, la *Campaign for Nuclear Disarmament* (*CND*), animée dès 1958 par l'historien A.J.P. Taylor et le philosophe Bertrand Russell, entre autres. Mais elle portait aussi l'empreinte de l'époque : la *CND* avait trouvé une nouvelle vigueur avec la détérioration subite dans les relations entre les superpuissances et le développement de la politique américaine d'implantation sur le continent européen de missiles Cruise et Pershing, à capacité nucléaire, pour faire face au surarmement soviétique. Une grande mobilisation autour de ces questions eut lieu en Grande-Bretagne, réunissant le vieux courant pacifiste, les mouvements écologiste et féministe et des intellectuels, comme l'historien Edward P. Thomson qui intervint fortement dans le débat autour du risque d'une guerre nucléaire, notamment avec son pamphlet, *Protest and Survive*, publié en 1980 et devenu tout de suite un best-seller.

Comme dans d'autres domaines de la politique travailliste, les abandons en matière de défense furent progressifs et rarement expliqués. Ainsi en dix ans on passa de la méfiance active envers la puissance militaire américaine à un atlantisme de plus en plus affiché ; au fur et à mesure que le mouvement anti-nucléaire perdait de son dynamisme (avec le recul de la menace nucléaire résultant de la *glasnost* gorbatchévienne et plus tard de l'implosion soviétique), les travaillistes se réconciliaient avec le lobby militaro-nucléaire. Loin d'être une marque caractéristique d'un « nouveau » travaillisme, cette orientation marqua plutôt le retour en force des anciennes positions travaillistes de droite, qui avaient dominé le mouvement dans les années 50 et 60.

Il serait naïf de prétendre que la volte-face opérée par les travaillistes concernant la politique de défense était uniquement due à l'impopularité de la prise de position du début des années 80. Certes les sondages d'opinion semblaient montrer, tout au long de la décennie, que les travaillistes n'étaient pas fortement soutenus par la population sur ces questions, et l'enjeu militaire fut souvent évoqué par les politologues comme explication des défaites successives du parti. Et il est vrai que lors des campagnes électorales de 1983 et de 1987, les conservateurs et leurs relais dans la presse n'ont pas raté une occasion pour dénoncer les faiblesses, les incohérences voire la lâcheté de la politique de défense travailliste (ainsi, pendant la campagne électorale de 1987 les conservateurs ont édité une affiche montrant un soldat britannique en train de se rendre – sous-titrée « *Labour's Defence Policy* », la politique de défense travailliste). Les thatchériens se savaient ici en terrain solide puisqu'une partie de la popularité de leur chef de parti avait été construite autour de sa rhétorique xénophobe et guerrière lors des différents conflits qui ont émaillé les années 80 (la Guerre des Malouines, bien sûr, mais aussi les fortes tensions entre les États-Unis, soutenus par la Grande-Bretagne, et la Libye, aboutissant au bombardement de cette dernière).

Mais l'impopularité n'explique pas tout. Les enjeux furent aussi très politiques et pendant toute la période de « modernisation » s'affrontaient plusieurs visions travaillistes du rôle du Royaume-Uni dans le monde : celle des nationalistes de gauche comme Benn, qui souhai-

taient une rupture avec les États-Unis ainsi qu'avec la
Communauté Européenne, celle des pro-européens dans
la gauche dite « molle » qui voyaient dans le rapprochement avec l'Europe une manière de sortir de la « relation
spéciale » avec les États-Unis et de contourner l'inflexibi-
lité thatchérienne, et celle des pro-américains, comme
Mandelson, qui pensaient que la consolidation anglo-
américaine entamée par Thatcher devait être maintenue
et si possible consolidée. Ce sont ces derniers qui ont eu
le dernier mot dans le processus de modernisation. Si les
directions de Kinnock et de Smith ont témoigné de
l'avancée significative des positions pro-américaines,
l'arrivée de Blair à la tête du parti signala leur triomphe.

Entre la défaite travailliste de 1983 et le décès de John
Smith en 1994, après seulement deux ans à la tête du
Parti travailliste, les changements dans la stratégie du
parti et dans sa manière de se présenter sur la scène politique furent considérables. Dans tous les domaines ces
changements allaient dans le même sens : vers une plus
grande acceptation du sens commun conservateur
construit à partir du milieu des années 70 autour d'une
analyse néo-libérale de la crise britannique. Les thatchériens ont d'abord réclamé et ensuite mis en branle une
révolution destinée à casser définitivement les modes de
gestion sociaux-démocrates de l'économie et de la société
britanniques et à introduire « le marché » dans tous les
recoins de la vie économique et sociale. Les travaillistes
sous la direction successive de Kinnock et de Smith ont
appris peu à peu à vivre avec les conséquences de cette
révolution, et à composer avec une société qu'ils percevaient comme définitivement thatchérisée. C'est l'œuvre
essentielle de ceux et celles qui se réclamaient de la
« modernisation » du Parti travailliste que d'avoir participé ainsi à la construction d'un nouveau consensus

« pro-marché », incluant désormais les trois principaux partis de la vie politique britannique (conservateur, libéral-démocrate et travailliste). Désormais la concurrence, la compétitivité, la rigueur de gestion (qui s'identifiait avec la lutte prioritaire contre l'inflation), la compression des dépenses publiques, la flexibilité du marché du travail, la méfiance envers l'activité collective des salariés, la mise en cause de l'État social (ou de l'État tout court) étaient autant de notions qui s'étaient insinuées dans le discours de l'opposition de gauche après avoir commencé leur vie dans l'idéologie de la droite libérale. Ce fut la reconnaissance de fait par la direction travailliste que leur défaite intellectuelle et politique par l'aile droite du parti conservateur était sans retour. Penser autrement était faire preuve d'un utopisme dangereux, politiquement suicidaire ; pire, c'était se montrer nostalgique d'un passé irrécupérable et indulgent envers les archaïsmes qui avaient failli faire disparaître le travaillisme pendant les années sombres de la domination de la gauche.

Il ne manquait pas, à partir de la fin des années 80, d'individus et d'institutions pour promouvoir cette vision manichéenne chère aux modernisateurs travaillistes. Ainsi dans et autour de deux *think tanks* modernisateurs, on travaillait à donner une crédibilité intellectuelle à l'œuvre de rénovation, et à surmonter des réticences de la base travailliste jugées encore trop vivaces par rapport à l'adhésion à la pensée de marché. En effet, la direction travailliste croyait que la « modernisation » manquait de muscle intellectuel, et y voyait une des raisons d'un progrès qu'elle jugeait encore trop lent. L'*Institute for Public Policy Research* fut fondé en 1988, avec le plein appui de Kinnock, avec cet objectif en vue[10]. Entouré d'une équipe modeste (trois chercheurs permanents) mais fort d'un solide financement en provenance de l'homme d'affaires travailliste, Clive Hollicks, le premier directeur, James Cornforth, ancien professeur de science politique de l'Université d'Edimbourg, entreprit d'œuvrer à la rupture avec la tradition dite « collectiviste » au sein du mouvement travailliste et d'achever la conversion des travaillistes aux valeurs du marché. Les questions économiques ne furent pas les seules à être traitées par l'*IPPR*, et on peut trouver les traces de l'évolution de la pensée travailliste sur les questions « constitutionnelles » dans les publications de cet institut. D'ailleurs, on voit peu à peu émerger la « question constitutionnelle » (c'est-à-dire la réforme des structures politiques et du système électoral britanniques) comme le principal facteur de démarcation entre les travaillistes et les conservateurs : la réforme constitutionnelle prenant en quelque sorte la relève des anciennes ambitions économiques et sociales du travaillisme. C'est sous l'égide de l'*IPPR* que la *Commission for Social Justice* fut établie en 1992 par John Smith pour réfléchir « de manière indépendante » à la poursuite de la modernisation de la stratégie des travaillistes, surtout dans le domaine de la politique sociale.

Si l'*IPPR* est généralement perçu comme étant très proche de la direction travailliste et donc assez limité dans sa marge de manœuvre intellectuelle et politique, tel n'est pas le cas d'un autre *think tank* qui a également joué un rôle dans la transformation de la pensée travailliste. Il s'agit de *Demos*[11], fondé en 1993 par Geoff Mulgan et Martin Jacques. Mulgan avait travaillé pour le *Greater London Council* sous la direction de « Red » Ken Livingstone, figure de la gauche londonienne, et comme conseiller de Gordon Brown au début des années 90 ; Jacques avait été le rédacteur en chef de *Marxism Today*, dont nous avons signalé le rôle dans le processus de modernisation travailliste au cours des années 80. Leur

projet initial fut de créer un espace de débat « post-idéo-
logique », dans lequel les « vieux » clivages entre droite et
gauche seraient dépassés et les nouvelles idées, d'où
qu'elles viennent, seraient discutées. Comme l'*Adam
Smith Institute*, *think tank* de la droite néo-libérale spécialisé dans les études de privatisation, qui avait servi de
modèle pour Mulgan et Jacques, *Demos* sut tout de suite
utiliser un réseau de contacts dans les médias pour ampli-
fier sa propre importance dans le débat intellectuel et
politique. C'est par *Demos*, par exemple, que les idées du
« communautariste » américain, Amitai Etzioni, eurent
un premier impact sur le public britannique lorsque le
think tank publia son pamphlet, *The Parenting Deficit*, en
1994. D'ailleurs la rhétorique « communautaire » (recen-
trage sur la famille ; insistance sur les *devoirs* et les *responsabilités*, plutôt que les droits, de tout membre d'une
communauté constituée) va jouer un rôle essentiel dans
la stratégie blairiste de mise en cause de ce qui reste de
l'État social britannique (c'est au nom des devoirs envers
la « communauté » que les nouveaux travaillistes vont s'en
prendre aux pauvres « non-méritants », menaçant les
jeunes chômeurs, les parents isolés, et même les handica-
pés de voir leurs allocations retirées s'ils n'acceptent pas
un travail, même précaire et non-qualifié[12]). Mulgan
sera, par ailleurs, récompensé de son rôle de modernisateur professionnel par son incorporation dans l'équipe
rassemblée autour de Blair au 10 Downing Street (la
Downing Street Policy Unit) après la victoire des travaillistes aux législatives de 1997, chargé des « projets spé-
ciaux » du Premier ministre.

* * *

Ainsi, la modernisation du Parti travailliste et le processus d'acceptation progressive du statu quo néo-libéral n'ont pas commencé avec l'arrivée d'Anthony Blair à la direction du Parti travailliste et ensuite à la tête du pays. Depuis dix ans, la direction du Parti travailliste poussait dans le sens de ce que l'on appelait la « modernisation » – modernisation qui, au départ, avait été souhaitée à juste titre par une grande partie de la gauche travailliste. Il est vrai que lors de la victoire intellectuelle et politique du thatchérisme, le Parti travailliste fonctionnait encore sur de vieux schémas politiques, apparemment incapable d'intégrer les changements économiques et sociologiques qui sapaient sa base traditionnelle ; bien sûr, le fonctionnement interne du mouvement travailliste, avec le poids incontournable des gros bataillons syndicaux, assurés de majorités automatiques lors des congrès travaillistes n'était pas un modèle de démocratie participative ; certainement encore, le fonctionnement bureaucratisé des institutions de l'État social britannique et des grandes entreprises nationales, auxquelles le travaillisme était fortement identifié, laissaient peu de place à l'initiative populaire, voire tout simplement à l'écoute des ceux et de celles qui en dépendaient ou qui y travaillaient ; enfin, le travaillisme avait mal compris l'émergence du féminisme ainsi que la montée dans l'espace britannique de nouveaux mouvements ethniques et nationaux mettant en cause assez fondamentalement les vieux modes d'identification nationale et d'organisation politique. Une rénovation de la stratégie et des pratiques travaillistes s'imposait donc. Mais, faute d'une analyse critique du thatchérisme (que l'on finit par identifier à la modernité) et de plus en plus inspirée par la « science communicationnelle » promue au sein de la direction travailliste pour étayer la stratégie politique, la modernisation devint au fil du temps synonyme d'acceptation de tous les paramètres essentiels du néo-libéralisme.

Si la direction de Kinnock et celle, très brève, de John Smith ont largement déblayé le chemin de cette modernisation-là, l'arrivée de Blair (mais aussi de Brown, de Straw et de Mandelson) marque néanmoins un tournant. Il s'agira désormais de théoriser les abandons successifs et de les transformer en nécessités positives, en atouts du *New Labour*. Blair souhaite, à partir de 1994, sortir définitivement le Parti travailliste du repli défensif et lancer une offensive autour de ce que deviendra la « troisième voie ». Pour ce faire, le « nouveau » travaillisme va s'inspirer de la pratique thatchérienne, s'entourant de conseillers intellectuels « indépendants » (comme Anthony Giddens et John Gray) et s'appuyant sur un réseau de *think tanks* (*IPPR, Demos, Nexus*, la *Fabian Society*) et de publications (par exemple la revue *Renewal*) chargés de trouver la justification intellectuelle du « projet » blairiste.

Dans la mise en place du dispositif destiné à promouvoir le blairisme, il ne faut pas sous-estimer les interventions directes de Blair et de son groupe dans le champ journalistique, pour s'assurer que la rénovation du projet travailliste y soit amplement relayée. Comme les thatchériens avant lui, Blair avait compris la nécessité d'une bonne couverture de presse, et d'un relais fidèle des idées et des politiques du nouveau travaillisme. Très proche de Blair, Peter Mandelson était passé maître dans l'art de la manipulation médiatique (c'est à lui que l'on pense lorsque le néologisme « *spin-doctor* » – manipulateur médiatique – est évoqué) utilisant, par exemple, la « fuite » et la rumeur auprès d'un certain nombre de journalistes ciblés pour affaiblir tel adversaire politique (de droite ou de gauche), pour contrecarrer telle offensive contre la politique blairiste, ou tout simplement pour promouvoir l'image de Blair.

Néanmoins, lorsque Blair arriva à la tête du parti, la presse restait massivement anti-travailliste : il s'appliqua à retourner cette situation en courtisant les grands barons de la presse de droite, Rupert Murdoch et Lord Rothermere, quitte à se brouiller avec ce qui restait de la presse de gauche. Ainsi, en juillet 1995, Blair assista à une « conférence sur le leadership » du conglomérat de presse de Murdoch, *Newscorps*, invité par Murdoch lui-même, et saisit l'occasion pour développer une version plutôt populiste – destinée sans doute à séduire Murdoch – de la démarche néo-travailliste[13]. Ce fut le début d'une relation apparemment mutuellement fructueuse puisque deux ans plus tard le tabloïd de Murdoch, le *Sun*, se prononça en faveur du vote travailliste aux élections législatives de mai 1997, et le Parti travailliste devint bien moins rigoureux dans ses exigences de régulation des pratiques monopolistiques dans la presse[14]. Blair a pu procéder de la même manière avec le groupe *Associated Newspapers*, propriétaire du *Daily Mail* et de l'*Evening Standard*, tous deux connus pour leur défense de la cause conservatrice. Ses rapports amicaux avec le propriétaire de ce groupe, Lord Rothermere, n'ont pas donné tous les résultats escomptés puisque le *Daily Mail* resta sur ses positions traditionnellement conservatrices lors des élections de 1997, mais ce fut néanmoins un demi-succès, avec le passage de l'*Evening Standard* dans le camp travailliste.

Si Blair fit des efforts importants pour s'assurer le soutien au moins d'une partie de la presse conservatrice, ses rapports avec la presse de gauche furent plus ambigus et empreints de cet autoritarisme un tant soit peu régalien, qui pourrait finir par lui nuire sur le plan politique.

Ainsi, les rapports entre Blair et le quotidien de gauche, *The Guardian*, sont tumultueux, sans doute parce que ce journal a tenu à maintenir une distance critique par rapport au blairisme tout en soutenant le Parti travailliste. Les ingérences de Blair ou de ses conseillers dans la presse de gauche sont souvent évoquées par les observateurs : il est, par exemple, de notoriété publique qu'il a personnellement exigé le départ d'Andrew Marr de la rédaction de *The Independent* parce qu'il jugeait le journaliste écossais, pourtant très blairiste, insuffisamment enthousiaste envers le *New Labour*. Quant au *New Statesman*, hebdomadaire anciennement de gauche et très critique par rapport au néo-travaillisme, la solution fut plus simple et plus radicale : il fut racheté en 1996 par Clive Hollick (le même qui avait financé le *think tank* blairiste, l'*IPPR*) et sa rédaction remplie de blairistes.

Ainsi, déjà dans l'opposition le néo-travaillisme était devenu une formidable machine politique, policée à l'extrême et tout entière tendue vers la conquête du pouvoir. Mais pour quoi *faire*? Dans le chapitre suivant nous regarderons de plus près le « projet » blairiste dans les domaines économique et social, ses justifications intellectuelles et politiques ainsi que sa mise en œuvre pratique depuis mai 1997.

2

Le « nouveau » travaillisme

BAMBI ?

Lorsqu'Anthony Blair devint le nouveau leader du Parti travailliste à la suite du décès de John Smith en 1994, il était encore peu connu du grand public, même s'il avait occupé des fonctions dans le cabinet fantôme du Parti travailliste depuis dix ans (responsable de l'emploi entre 1989 et 1992, il s'y signala pourtant en ralliant son parti à la quasi-totalité de la législation anti-syndicale thatchérienne). Même les journalistes de l'époque le connaissaient mal, si l'on en juge par le sobriquet qu'on lui accola pendant ses premières années de dirigeant du parti : « Bambi », comme l'animal du film de Disney, était souriant et inoffensif, mais peu doué pour les affrontements de la vie réelle.

C'était effectivement très mal connaître le personnage : le sourire affiché cache, selon ceux qui l'ont fréquenté de près [15], une volonté d'acier, voire un autoritarisme hautain, que Blair engagea dès 1994 dans la création d'un « nouveau » travaillisme (l'épithète devint désormais obligatoire dans l'évocation du nom du parti pour marquer, jusque dans le vocabulaire, la rupture avec le paléo-socialisme, le « vieux » travaillisme, la « vieille » social-démocratie) quitte à écarter ses anciens amis et à écraser ses adversaires au sein du parti, qui se trouvaient désormais uniquement sur sa gauche.

Il a fallu quelque temps pour que le « projet » blairiste
se précise (et que la presse abandonne le sobriquet trom-
peur). Une série d'actes symboliques, pendant les trois
années d'opposition, viennent éclairer les positions de
Blair : l'élaboration d'un nouveau programme travailliste
pour les élections à venir, mais surtout un ensemble de
prises de position programmatiques énoncées à des
moments ou dans des lieux opportuns et dont la mise en
scène fut soigneusement organisée par les experts en
communication du parti[16]. Tout en dénonçant les intellectuels qui osent manquer d'enthousiasme pour son
œuvre modernisatrice, avec l'insulte thatchérienne des
« *chattering classes* » (les classes bavardes), Blair a pris un
soin particulier à donner des fondements intellectuels à
son propre projet, écrivant même un livre-manifeste qui
se veut à la fois une prise de position politique et une
œuvre de réflexion sur les grands enjeux de « la modernité ». Il fut aidé dès le départ dans cette entreprise par
Anthony Giddens qui s'identifia très fortement au nouveau travaillisme de Blair et se mit au travail pour en
fournir la justification « théorique ». Il s'agissait de
démontrer que le « blairisme » peut prétendre aux mêmes
ambitions de conquête intellectuelle et politique que le
thatchérisme, qui dans la rhétorique blairiste sert à la fois
de référence et de repoussoir.

EN FINIR AVEC LE SOCIALISME

Le premier acte symbolique, destiné à signaler la
volonté de rupture avec le passé du Parti travailliste, et
donc avec le « vieux » travaillisme, fut sa décision d'exiger
une révision, dès 1995, de l'article 4 de la constitution du
Parti travailliste. Blair signalera plus tard cette décision,

approuvée par deux tiers des délégués au Congrès spécial du Parti travailliste en avril 1995, comme la « refondation » du travaillisme britannique. La comparaison avec le congrès de Bad Godesberg du *SPD* allemand, qui vit les socialistes allemands rompre définitivement avec la tradition marxiste, vint tout naturellement dans beaucoup des commentaires médiatiques de l'époque, même si la doctrine marxiste avait eu peu d'influence au sein du Parti travailliste.

La rédaction originelle de l'article 4, datant de 1918, préconisait l'obtention, pour les travailleurs intellectuels et manuels du « plein fruit de leur industrie et la distribution la plus équitable de ce fruit qui puisse être envisagée sur la base de la propriété commune des moyens de production, de distribution et d'échange, et du système le plus approprié d'administration et de contrôle populaires de chaque industrie ou service ». De compromis boiteux proposé par l'intellectuel *Fabian*, Sydney Webb, et le syndicaliste travailliste transfuge du libéralisme, Arthur Henderson, pour tenter d'unir les différentes tendances du jeune Parti travailliste autour d'un projet de société commun, l'article 4 est devenu au fil des ans, mais surtout après la Seconde Guerre mondiale, la pierre de touche de la gauche travailliste, la preuve en quelque sorte que le parti qui, une fois au pouvoir, n'avait jamais sérieusement envisagé de mettre en œuvre ces objectifs ambitieux, avait quand même une âme (et que ceux et celles qui croyaient à une possible transformation socialiste de leur société y avaient une place). La droite travailliste ne s'y trompait pas d'ailleurs lorsqu'elle lança dès les années 50 une campagne pour la révision de cet article : il s'agissait effectivement de rompre avec les objectifs socialistes du travaillisme. Mais jusqu'à l'arrivée de Blair, aucun dirigeant n'avait réussi à supprimer cette énonciation, un peu alambiquée certes, de l'utopie collectiviste. En y réussissant, Blair a enterré symboliquement la tradition socialiste qui, dans toute sa diversité, barrait la (troisième) voie vers l'acceptation des lois d'airain du marché.

La nouvelle rédaction de l'article 4, qui emprunte beaucoup à la rhétorique communautariste, évacue toute référence à la propriété des moyens de production (et pour cause) et aux modes de gestion des entreprises. Elle définit le Parti travailliste comme un parti « socialiste démocratique » (termes d'ailleurs que Blair n'aime guère et n'utilise jamais dans ses discours publics) qui « croit que, par la force de nos efforts communs, nous pouvons faire plus que nous ne pouvons faire seuls, ce qui implique pour chacun les moyens de réaliser son plein potentiel, et pour tous une communauté où le pouvoir, la richesse et les chances sont aux mains du plus grand nombre et non pas de quelques-uns ; où les droits dont nous jouissons reflètent nos obligations… ». Pour arriver à ces objectifs, sans doute louables mais terriblement vagues, il faut « une économie dynamique », « une société juste », « une démocratie ouverte » et « un environnement sain ». Certes.

De 1994 à 1996 la nouvelle direction autour de Blair se mit à une nouvelle révision du programme travailliste, déjà passablement édulcoré après le passage « modernisateur » de Kinnock et de Smith. Mais il restait encore dans les propositions travaillistes de l'époque de Kinnock et de Smith quelques traces de l'influence de la gauche, ou tout simplement du keynésianisme finissant (une fiscalité légèrement redistributive, par exemple), et pour le nouveau groupe dirigeant ce furent quelques traces de trop. La proposition modeste de Smith, lors des élections de 1992, d'inclure une augmentation de l'impôt sur le revenu des catégories les plus aisées dans la plate-forme

électorale des travaillistes fut considérée désormais
comme la cause principale de la défaite du parti. Ces
deux années virent l'achèvement du processus de norma-
lisation néo-libérale du programme économique du
parti : seul le vocabulaire d'accompagnement et les modes
de présentation vont changer par rapport à la version
conservatrice. Ainsi, par exemple, la flexibilité du marché
du travail, imposée pendant les années du néo-libéralisme
thatchérien triomphant, devient un objectif de gauche, à
condition qu'elle soit raisonnable, qu'elle ne serve pas
uniquement à précariser les salariés, et qu'elle implique
ces derniers très fortement dans l'acceptation de leurs
nouvelles conditions d'emploi [17]. Ainsi, le rôle de l'État
sera désormais limité à fournir un cadre stable dans lequel
la compétitivité des firmes puisse s'épanouir [18] ; si l'État
doit intervenir, c'est du côté de l'offre, par exemple en
réformant le système éducatif et de formation en fonction de la nouvelle donne de la compétitivité internationale. D'ailleurs la nouvelle vision anti-étatiste des néo-
travaillistes sera présentée comme un retour au passé
« libertaire » du travaillisme et (une fois encore) théorisée
de cette manière par Giddens.

Le signe le plus manifeste de la nouvelle orthodoxie
sera la promesse faite par Gordon Brown (et maintes fois
claironnée par Blair) avant les élections de 1997 de laisser
intacte pendant deux ans la fiscalité conservatrice (avec,
comme seule exception, un impôt unique prélevé sur les
bénéfices des entreprises nouvellement privatisées destiné
à couvrir le coût du programme de mise au travail des
jeunes chômeurs, dit « *Welfare to Work* ») et d'entériner
ainsi non seulement l'écart de revenus devenu énorme
entre les couches les plus aisées de la société britannique
et les plus pauvres [19] mais aussi la limitation draconienne
des dépenses publiques.

LA « MONDIALISATION » AU SECOURS
DU NÉO-TRAVAILLISME

La nouvelle orthodoxie économique travailliste (qui, comme le rappelle Stuart Hall, en acceptant la doctrine du *laisser faire*, s'identifie fortement à l'ancienne orthodoxie défendue par la droite travailliste de la fin des années 20 et au début des années 30, avant la percée des idées keynésiennes) présente le revirement comme une adaptation aux nouvelles conditions de la compétitivité internationale. Selon Blair, « Le mouvement d'intégration croissante de l'économie mondiale [...] implique qu'il n'est plus possible pour la Grande-Bretagne de supporter des déficits budgétaires et un régime fiscal en contradiction flagrante avec ceux des autres pays industrialisés. Une de nos exigences sera de créer une ambiance fiscale suffisamment séduisante pour attirer au Royaume-Uni des entrepreneurs étrangers » [20].

En effet, la mondialisation va servir de toile de fond et de justification d'une grande partie de la révision économique néo-travailliste : elle sera conceptualisée par les deux intellectuels combattants du blairisme, Giddens et Gray. Dans l'élaboration théorique de Giddens (voir *Au-delà de la Gauche et de la Droite* et son complément vulgarisateur *La Troisième Voie*) la mondialisation de l'économie financière et productive est présentée comme « une réalité » incontournable, un facteur désormais déterminant de toute politique économique et sociale, et, au-delà, du mode de vie de tous les citoyens du marché global. Giddens établit un rapport direct entre la mondialisation, dans un sens très large incluant le développement des échanges culturels, et ce qu'il appelle le nouvel individualisme, qui découlerait du fait que de moins en moins d'individus sont aujourd'hui déterminés par la tradition et de plus en plus auraient le choix de leur mode de vie : « [...] la mondialisation constitue une gamme complexe de forces déterminées par des influences politiques et économiques. Elle est en train de transformer la vie quotidienne, particulièrement dans les pays développés, en même temps qu'elle crée de nouvelles forces et de nouveaux systèmes internationaux. Elle est bien plus que la toile de fond de la politique contemporaine : prise dans son ensemble, la mondialisation est en train de transformer les institutions des sociétés dans lesquelles nous vivons. Elle est directement liée à la montée du "nouvel individualisme" qui occupe tant de place dans les débats de la social-démocratie » [21].

En brisant partout la mainmise de la tradition (religieuse, morale, sociale...), le marché global libérerait les hommes et les femmes du poids mort du passé pour qu'ils puissent s'inventer de manière autonome dans la modernité. La « gauche » (dont la variante marxiste est présentée par Giddens comme moribonde et la variante social-démocrate ancien style en voie de le devenir) n'aurait pas pris la mesure des effets bénéfiques de cette mondialisation ni de la nécessité politique d'accueillir le nouvel individualisme. Ceci expliquerait en partie les défaites successives de la « vieille » gauche britannique, la méfiance des couches moyennes envers le travaillisme (et toutes les autres formes de paléo-socialisme) et la remarquable résilience du thatchérisme, qui avait intégré plus tôt ces vérités de la modernité capitaliste. Le rôle des défenseurs de la « troisième voie » serait donc d'aider les citoyens à vivre avec la mondialisation et non pas à la combattre (combat d'arrière-garde, et de toute façon perdu d'avance, où se mêleraient tous les nostalgiques de l'ancien régime, à commencer par les nationalistes, par définition xénophobes). Être moderne, c'est épouser aussi étroitement que possible les contours de la mondialisation : « L'objectif global de la politique de la troisième voie est d'aider les citoyens à traverser les principales révolutions de notre temps : la mondialisation, les transformations de nos vies personnelles et de nos rapports avec la nature. La politique de la troisième voie doit adopter une attitude positive envers la mondialisation – mais crucialement, uniquement comme un phénomène qui dépasse très largement le marché global [22] ».

Si la mondialisation nous apporte maints avantages, selon Giddens, tant sur le plan des échanges culturels cosmopolites que sur le plan de la consommation de biens et de services, elle a aussi ses contraintes, voire des effets déstructurants sur les identités et les économies nationales. Elle est la source, entre autres, du sentiment d'insécurité croissante dans nos sociétés (thème qui sera développé par ailleurs par John Gray et trouvera un écho dans le discours sécuritaire et d'ordre moral de Blair). Pour Giddens cependant, l'essentiel n'est pas de remédier à ces effets déstructurants (encore moins d'en combattre les causes) mais de s'assurer qu'ils ne soient pas instrumentalisés par ceux qui souhaitent une protection contre les assauts du capital internationalisé et une revalorisation du rôle régulateur de l'État national, ceux qui souhaitent « revenir en arrière ». C'est John Gray, autre propagandiste du « centrisme radical », qui énonce le plus clairement la contrainte de base : « On ne peut pas revenir en arrière. Les gouvernements sociaux-démocrates ne peuvent plus employer les méthodes traditionnelles de stimulation de la demande et du recours à l'État *parce que les marchés financiers ne le permettraient pas* (c'est nous qui soulignons) [23] ».

On ne peut pas mieux exprimer la doctrine de l'impuissance économique nationale [24] qui sous-tend la vision géo-économique blairiste, et qui va servir à justifier les glissements et les abandons néo-travaillistes. Car la mondialisation, dans la vision blairiste, est présentée à la fois comme une véritable force de la nature, avec laquelle on ne peut que composer, et une nécessité historique qui s'impose avec toute la rigueur déterministe que les marxistes attribuaient autrefois à la marche en avant vers le socialisme.

RECONSTRUIRE UNE « MYSTIQUE » NÉO-TRAVAILLISTE

Cependant, de tels arguments, destinés à construire un assentiment intellectuel autour du néo-travaillisme ou tout au moins à neutraliser l'opposition, ne sont pas particulièrement monnayables dans le domaine électoral. Aucun parti ne pourrait mobiliser son électorat sur la base de l'acceptation générale du règne sans partage du capital mondialisé, ou de la promotion des bienfaits de la « main invisible » du marché. Il va sans dire que telle n'a jamais été la présentation blairiste du programme néo-travailliste. Même pendant les années fastes du thatchérisme il a fallu proposer aux électeurs britanniques autre chose que l'éloge hayékien du marché, qui faisait battre le cœur des combattants du néo-libéralisme. Thatcher a su au long d'une décennie habiller judicieusement ses objectifs dans le domaine économique et social de toute une rhétorique néo-conservatrice qui tantôt faisait appel au nationalisme impérial et nostalgique grand-britannique (pendant la Guerre des Malouines, par exemple) et tantôt recourait à l'invocation des « valeurs victoriennes » censées se réincarner en la nouvelle doctrine économique et sociale conservatrice.

De la même manière, Blair et le nouveau groupe dirigeant du Parti travailliste ont été obligés de se réinventer une mystique politique pour s'assurer le soutien de l'électorat. À beaucoup d'égards, cette mystique *tient lieu* d'action politique. Comme nous l'avons déjà vu, le recours au verbe « communautariste », au langage des nouvelles solidarités arrimées aux devoirs et aux responsabilités, sera de plus en plus fréquent [25]. C'est le cadre qui permet d'introduire les nouvelles notions blairistes d'harmonie sociale (ou de partenariat) et qui permettra d'évacuer les notions de lutte ou de conflit, associées dans la nouvelle orthodoxie néo-travailliste aux « idéologies dépassées ». On cherchera à réactiver une dimension puritaine et moraliste de la tradition travailliste. Ainsi, dans ses discours publics, Blair mettra de plus en plus l'accent sur sa « vision morale » pour le XXIe siècle, dénonçant l'égoïsme et le laxisme moral de nos sociétés, s'élevant contre les fléaux de la petite délinquance et de la promiscuité sexuelle adolescente, prêchant en faveur des valeurs chrétiennes incarnées dans la vie de famille (traditionnelle s'entend), proposant des mesures parfois draconiennes (la prison pour de très jeunes délinquants ; le couvre-feu pour les adolescents aux appétits sexuels débridés) pour un retour à l'ordre public.

Mais cette mystique intégrera aussi la dimension « sociale » traditionnelle du travaillisme : ne pas le faire serait courir le danger de voir les électeurs traditionnels du travaillisme chercher refuge ailleurs. Un certain nombre de mesures sociales modestes, aussi peu coûteuses que bruyamment claironnées, fut ainsi intégré dans le nouveau programme électoral travailliste en vue des élections législatives de 1997. Ces mesures furent destinées à répondre à l'attente d'une base électorale travailliste traditionnelle perçue par la direction néo-travailliste comme encore engluée dans la pré-histoire de « l'ancien travaillisme », et sans doute aussi à faire taire

ceux et celles au sein du mouvement syndical qui com-
mençaient déjà à émettre des réserves. L'introduction du
salaire minimum faisait partie de ce dispositif symbolique, ainsi que la taxe « exceptionnelle » (*windfall tax*)
sur les profits « excessifs » des sociétés privatisées et la promesse d'une reconnaissance juridique des organisations
syndicales au sein de l'entreprise. Même si dans deux cas
sur trois (le salaire minimum et la reconnaissance syndicale), la mise en œuvre de ces promesses a été ensuite
entourée de nouvelles contraintes vidant les mesures
d'une grande partie de leur efficacité, cela a permis de
donner une teinture de « gauche » à l'ensemble de la nouvelle politique et de détourner le regard des continuités
lourdes dans la lignée des politiques conservatrices précé-
dentes. Ces mesures ont servi effectivement de paravent à
toute critique portant sur le glissement néo-libéral du
néo-travaillisme.

On cherchera aussi à renforcer l'image « radicale-
moderniste » du néo-travaillisme, surtout dans le
domaine des réformes constitutionnelles. À cet égard, les
néo-travaillistes mobilisèrent un important dispositif de
réformes de structure (la promesse d'une forte autonomie
pour l'Irlande du Nord, l'Écosse et le pays de Galles et
l'engagement à réformer la Chambre des Lords, entre
autres), destinées, disait-on, à faire rentrer le Royaume-
Uni enfin dans la modernité constitutionnelle [26]. Il y a,
cependant un écart significatif entre ces promesses de
radicalité et leur mise en œuvre concrète : ainsi, la
réforme des Lords semble se diriger vers une solution
« moyenne » par laquelle la deuxième chambre sera effectivement débarrassée de ses membres héréditaires et remplie de membres… nommés par le gouvernement. La
réforme du système électoral piétine. Et l'on doit surtout
voir dans la transformation des relations constitution-

nelles entre l'Angleterre et sa périphérie (galloise et écossaise) la tentative à la fois de sauver l'union britannique et de limiter l'impact des partis nationalistes qui en Écosse et au pays de Galles constituent la seule opposition sérieuse aux travaillistes. Le processus de paix en Irlande du Nord, dont les avancées et les succès furent attribués un peu prématurément à Blair dans les médias, en France comme ailleurs, peine à sortir de l'impasse.

Ainsi s'est néanmoins construite la nouvelle « mystique » néo-travailliste : traditionaliste, voire réactionnaire dans le domaine de l'ordre moral ; modérément réformatrice dans le domaine social ; radicale et « modernisatrice » dans le domaine du changement constitutionnel. Le cocktail est hétéroclite et surtout porteur de ses propres contradictions internes, mais il a été très bien vendu par les publicitaires du parti.

LES PRATIQUES GOUVERNEMENTALES BLAIRISTES

La stratégie néo-travailliste qui sera mise en œuvre après la victoire de mai 1997 peut se résumer ainsi : un cadre économique général hérité des néo-libéraux conservateurs (priorité de la lutte contre l'inflation ; compression des dépenses de l'État et des impôts directs ; retrait massif de l'État du domaine économique ; maintien de la « flexibilité » sur le marché du travail et donc de la quasi-totalité du dispositif juridique anti-syndical introduit par Thatcher…) à l'intérieur duquel s'imbrique un petit nombre de réformes sociales « de gauche » destinées à souder les électeurs paléo-travaillistes au bloc « modernisateur » et un ensemble de mesures qui ont pour objectif de stabiliser l'ordre constitutionnel britannique mis à mal par des années de contestation nationaliste dans les pays de la périphérie (sans parler de la guerre civile en Irlande du Nord).

Pour s'assurer que les mesures « sociales » modestes n'effraient pas les électeurs tant choyés de la *Middle England*, Blair et ses proches développeront un argumentaire emprunté au dispositif rhétorique du libéralisme économique « éclairé » : c'est au nom de l'allégement du fardeau des contribuables que l'on défend l'instauration du salaire minimum (effectivement exécré par les fondamentalistes néo-libéraux qui y voient une ingérence intolérable dans le libre jeu des mécanismes du marché). Blair avait donné, dès 1995, la ligne officielle sur cette question, selon laquelle l'absence d'un salaire minimum constituait un fardeau pour l'État et donc pour les contribuables, les salaires de certains travailleurs et surtout de certaines travailleuses britanniques étant tellement bas qu'ils avaient droit à une aide publique tout en ayant un travail. 1,3 milliard de livres sterling d'aide publique par an « est le prix que nous payons tous à cause de l'absence d'un salaire minimum »[27]. Quant au *niveau* du salaire minimum, Blair prit soin de ne pas brusquer les milieux d'affaires en suivant les conseils de la confédération des employeurs britanniques, malgré les protestations des syndicats. On arriva ainsi à un salaire minimum, vraiment minimum, dont le montant (£3.60, et qui ne pourra pas être renégocié avant deux ans) fut vivement critiqué par le mouvement syndical. Par ailleurs, les jeunes de moins de 21 ans furent exclus du dispositif général, se retrouvant avec un salaire minimum « jeunes ». Près d'un an après l'introduction du salaire minimum, un certain nombre d'employeurs continuent à traîner les pieds quant à son application, ou le contournent en supprimant des acquis antérieurs (sous forme de primes, par exemple). En effet, même la législation mini-

maliste en faveur des salariés britanniques s'avère difficile-
ment applicable sur un marché du travail où la peur et la
docilité des travailleurs précarisés ont été depuis longtemps cultivées par des employeurs de plus en plus
enclins à passer outre aux lois en vigueur. Les perma-
nences juridiques assurées par l'association nationale des
Citizens' Advice Bureaux sont inondées de réclamations de
la part de salariés qui n'arrivent pas à faire appliquer la loi
par leurs employeurs et qui craignent le licenciement
immédiat s'ils se défendent syndicalement ou devant les
tribunaux. Vingt ans de règne sans partage des « valeurs
entrepreneuriales » ont surtout réussi à imposer une
culture de la crainte et du repli individuel devant les abus
patronaux [28].

La réalité de la pratique gouvernementale de l'équipe
de Blair a été tout à fait conforme à la stratégie annoncée
dans la période précédant la victoire électorale : le changement dans la continuité. Dans ce domaine, et une fois
de plus, les néo-travaillistes ont soigné l'impact symbolique de leurs actes. Ainsi, quelques jours seulement après
l'arrivée de Gordon Brown au 10 Downing Street en
charge de la Chancellerie de l'Échiquier, l'annonce fut
faite de l'octroi d'une indépendance complète (une
« autonomie opérationnelle ») de la Banque d'Angleterre
en matière de fixation des taux d'intérêt et de la création
d'un comité monétaire de la Banque qui veillerait à la
dissociation de cet aspect essentiel de la politique économique du pays de la « politique politicienne », toujours
tentée de baisser les taux en période pré-électorale. Il relè-
verait désormais du domaine des « experts » qui, dit-on,
ne font pas de politique. Ce fut un pas de plus dans le
retrait organisé de l'État engagé par le pouvoir thatchérien. Même les conservateurs n'avaient pas osé donner un
tel cadeau aux banquiers et renforcer ainsi la prédomi-

nance déjà inquiétante des intérêts financiers dans l'économie britannique [29].

Saluée comme un coup de maître par la quasi-totalité
de la presse britannique, la décision de Brown montrait
que la nouvelle équipe travailliste était effectivement
capable de « penser l'impensable », surtout lorsque cela
relève de la pensée néo-libérale. À côté de l'importance
cruciale de cet abandon d'une prérogative essentielle de
l'État, le fait qu'une des économistes nouvellement nom-
mée par le gouvernement dans le comité monétaire de la
banque soit en plus une ancienne salariée de la CIA, bien
que confirmant l'extraordinaire ouverture d'esprit des
néo-travaillistes, n'a sans doute qu'un intérêt anecdo-
tique [30].

LA FIDÉLITÉ POST-THATCHÉRIENNE

Les deux ans et demi (et trois budgets) qui se sont
écoulés depuis nous permettent de mesurer la très stricte
orthodoxie financière libérale du nouveau chancelier et la
poursuite, sur le plan plus global, d'une stratégie économique qui s'inscrit dans une fidélité exemplaire « post-
thatchérienne ». Ainsi l'économiste néo-travailliste Gavyn
Davies, associé gérant de Goldman Sachs et très proche
du Blair, lorsqu'un journaliste du *Monde* lui demanda en
mai 1999 quel était le plus grand acquis de l'équipe travailliste, répondit sans rire « Avoir laissé en place les
réformes introduites par les conservateurs de 1979 à
1997, voire en avoir accentué certains aspects, ce qui a
permis de diminuer le chômage... » [31].

La politique fiscale de Gordon Brown (qui consiste à
reconduire le *statu quo ante*) a été maintenue et prolon-
gée. De mesure transitoire, le maintien d'un cadre fiscal

qui « évite de punir » les riches [32] est devenu un article de foi dans la nouvelle orthodoxie néo-travailliste. Pour conserver l'attractivité de l'économie britannique pour des investisseurs étrangers, l'impôt sur les sociétés a été encore plus allégé par Brown et le bas taux d'imposition sur les très hauts revenus laissé intact. La « rigueur » dont le nouveau chancelier de l'Échiquier fait preuve, et qui lui a valu le sobriquet du « Chancelier de Fer », reste dans la droite ligne de l'orthodoxie monétariste britannique : défense de la livre sterling (même contre les intérêts de l'industrie manufacturière), lutte contre l'inflation, anorexie fiscale. On a même pu assister, pendant les élections de mai 1999 pour le nouveau parlement écossais, à un débat un peu surréel entre néo-travaillistes et nationalistes écossais où ces derniers défendaient un programme traditionnellement keynésien, préconisant une augmentation modeste des impôts pour financer des améliorations du système éducatif écossais (en difficulté) et du service public de santé (en ruine), alors que les travaillistes (dirigé pour l'occasion par Gordon Brown lui-même) menaient campagne sur le refus de toute augmentation de la charge fiscale (une campagne, comme le remarqua une journaliste du *New Statesman* dans un accès inhabituel de candeur politique, qui ressemblait fort à la campagne législative de 1992 du parti… conservateur) [33].

Le maintien de la pression sur les dépenses publiques a signifié, bien sûr, une limitation importante de la marge de manœuvre gouvernementale dans l'intervention publique, et ce dans une situation de détérioration drastique des services publics britanniques consécutive aux années d'asphyxie financière conservatrice. Ainsi, des britanniques, surtout les plus pauvres, continuent à souffrir aujourd'hui des effets désastreux de vingt ans de détérioration du service public de santé : les durées d'attente

pour des opérations essentielles, voire pour un simple
rendez-vous avec un spécialiste, restent très longues (et
pour certains, fatales), malgré la promesse travailliste de
« réduire les listes d'attente ». Il s'est installé une véritable
ségrégation sociale dans ce domaine, certains médecins
du secteur public encourageant même leurs patients aisés
à se retrouver dans leur clientèle privée, pour être mieux
et surtout plus rapidement soignés. Après des années de
privatisation des logements sociaux, l'obtention d'une
habitation décente dans le secteur social devient un véritable exploit et des dizaines de milliers de familles sont
contraintes de recourir au secteur privé peu réglementé.
La nouvelle administration a annoncé certes une série
d'initiatives destinées à améliorer l'efficacité de ces services (par des économies internes), mais l'effort financier
consenti reste modeste, sinon dérisoire, par rapport aux
besoins surtout dans les domaines de la santé et de l'éducation, pourtant réputés prioritaires dans la rhétorique
gouvernementale.

On retrouve la même méfiance envers le secteur public
que celle qui caractérisait les gouvernements conservateurs précédents et la même admiration devant les solutions « de marché ». En juillet 1999, Blair, flattant dans
le sens des préjugés ressortis des « groupes tests » d'opinion publique, s'en est pris violemment aux salariés du
secteur public soupçonnés de vouloir entraver la marche
vers plus d'efficacité. Sa promesse électorale initiale de
ramener les chemins de fer britanniques dans le giron
public, après le fiasco d'une privatisation bâclée en fin de
législature conservatrice, a déjà été abandonnée. Ainsi les
Britanniques continueront à subir les effets d'un sous-
investissement chronique dans les transports ferroviaires :
retards importants, voire annulations de trains restent
monnaie courante, même si dans la rhétorique néo-libé-

rale ancienne ceux-ci étaient imputables aux « rigidités »
du secteur public ; s'ajoute aux problèmes anciens la mul-
tiplication des compagnies privées de chemins de fer,
transformant la traversée du territoire britannique en
véritable parcours de combattant ; plus grave, l'actualité
de l'automne 1999 (l'accident de Paddington, dernier
d'une série terrible) vient nous rappeler que la sécurité
des passagers a été la grande perdante du transfert de British Rail vers le secteur privé.

LA PRIVATISATION ET LE « PARTENARIAT » PUBLIC-PRIVÉ

La privatisation prend des formes diverses sous les
néo-travaillistes. À côté de la privatisation « classique »,
c'est-à-dire le transfert pur et simple d'actifs ou d'activités du public vers le privé (la décision récente de privatiser le contrôle aérien britannique en est un exemple
parmi d'autres) on voit émerger des formes plus hybrides.
Pour desserrer la contrainte financière publique, des
projets de « partenariat public-privé » ont été promus
dans plusieurs domaines-clé. Ainsi, l'Initiative financière privée (*Private Finance Initiative*) initialement
introduite par les conservateurs pour développer la privatisation « rampante » des services publics a été non
seulement conservée mais développée par l'administration néo-travailliste. Par ce biais des entreprises privées
sont non seulement sollicitées pour la construction de
nouveaux hôpitaux et de nouvelles écoles, mais elles en
deviennent *propriétaires*. On arrive ainsi à une privatisation partielle de fait.

Les effets de cette semi-privatisation se conjuguent
avec les pratiques sociales acceptées sinon encouragées
par les néo-travaillistes après avoir été préconisées par

les thatchériens et qui conduisent de fait à un élargisse-
ment du secteur privé. Au nom de « l'équité sociale »,
on pousse par exemple les couches moyennes à acheter
des services qui auparavant étaient fournis à tous par le
secteur public. Ceci est vrai pour la santé, mais la même
tendance se remarque dans le secteur éducatif : dans
l'enseignement primaire et secondaire il y a eu un transfert assez massif des enfants des couches moyennes hors
secteur public, ce qui tend à aggraver une ségrégation
sociale déjà très marquée dans le système éducatif britannique [34]. La mise en concurrence des établissements
scolaires publics, encouragée par les néo-travaillistes, et
l'affichage des établissements qui « ne réussissent pas »
(dans le cadre d'une politique dite de « *naming and sha-
ming* ») renforce elle aussi, au sein même du secteur
public les effets de ségrégation sociale, les autorités scolaires se réservant le droit de refuser certains enfants qui
pourraient « ternir la réputation » de leur école. L'introduction, par le gouvernement travailliste en 1998, de
frais d'inscription très élevés (10 000 francs minimum
par an) pour des études universitaires (toujours au nom
de l'équité sociale) et le remplacement progressif des
bourses par des prêts, viennent tout naturellement renforcer la sélection sociale dans l'enseignement supé-
rieur.

Les exemples de la nouvelle pratique néo-travailliste
de partenariat public/privé et de ses conséquences parfois étonnantes abondent. On pourrait citer, par
exemple, le maintien des prisons privées en Grande-Bretagne, et cela malgré l'opposition initiale du très blairiste Jack Straw (qui les trouvait « moralement répu-
gnantes »), certes avant qu'il ne devienne ministre de
l'Intérieur dans le gouvernement néo-travailliste. Ainsi
l'on voit Straw, seulement quelques mois après la vic-

toire travailliste, expliquer à l'association des gardiens de prison son ralliement à la gestion privée des prisons pour des raisons « économiques ». Selon Straw, les prisons privées sont « entre 8 et 15 % moins chères que les prisons dans le secteur public... Elles ont un taux d'encadrement moins important, des coûts salariaux moins onéreux, des vacances moins longues pour le personnel et, dans beaucoup de cas, une semaine de travail plus longue » [35]. Effectivement, au moment où la nouvelle doctrine néo-travailliste de « tolérance zéro » de la petite délinquance remplissait les prisons (avec plus de 65 000 prisonniers en 1998 la Grande-Bretagne battait, en termes relatifs, le record européen) et où le financement public stagnait, il fallait trouver des solutions financièrement efficaces.

Une des solutions avait été l'ouverture d'une prison *high-tech* en 1997 dans le sud du pays de Galles. Selon l'entreprise qui l'a conçue (*Securicor*) elle pouvait fonctionner avec un seul gardien derrière le pupitre de commande pour un maximum de 75 prisonniers. En quelques semaines après l'ouverture plusieurs suicides de prisonniers avaient eu lieu, aboutissant à une mutinerie contre ce que l'on pourrait peut-être appeler la modernité carcérale. Des démissions en série des directeurs de la prison aux plaintes des gardiens dont la plupart avaient été embauchés sans expérience de l'univers carcéral et sans formation, l'expérience tourna rapidement au fiasco. Ce qui n'empêcha pas le ministre de l'Intérieur de continuer dans la même veine : la Grande-Bretagne a aujourd'hui un marché des prisons privées des plus florissants au monde, largement investi par les transnationales du pénal privé, comme la *Corrections Corporation of America* qui gère la prison de Blakenhurst dans le Worcestershire et dont il sera question plus loin.

McEducation

Les exemples de partenariat public/privé dans l'enseignement sont tout aussi parlants et révèlent à quel point le néo-travaillisme a accepté l'importation massive des pratiques et de l'esprit de l'entreprise privée dans le service public. Une fois de plus c'est Giddens qui en fournit la justification « théorique » : « La plupart des gouvernements ont encore beaucoup à apprendre de la meilleure pratique dans les entreprises privées – par exemple, la vérification des objectifs, des audits efficaces, des structures de décision flexibles et la participation accrue des employés. Les sociaux-démocrates doivent s'inspirer de la critique selon laquelle les institutions publiques, ne bénéficiant pas de la discipline du marché, deviennent paresseuses et leurs services de mauvaise qualité » [36].

Au moment où les travaillistes multiplient leurs critiques du corps enseignant, lui attribuant une grande partie de la responsabilité de l'échec scolaire, et où des responsables gouvernementaux exigent des procédures plus rapides de licenciement de ceux et celles qui « ne savent pas enseigner » (*dixit* Blair), flattant un « bon sens » directement dérivé des tabloïds, on facilite l'entrée massive des entreprises privées dans le domaine éducatif. Ainsi, en 1998, le Ministère de l'Éducation annonça son intention d'associer des entreprises privées à son effort d'amélioration de l'offre de formation dans les écoles britanniques, surtout dans les zones en difficulté. « Les entreprises qui réussissent sont les seules à avoir cette capacité à gérer le changement et l'innovation » [37] dans le domaine éducatif, expliqua Michael Barber, un des conseillers du ministre David Blunkett, lors du lancement de la campagne.

En 1998, ce Ministère introduisit la transnationale de la restauration rapide, McDonalds, comme « partenaire » dans la zone d'éducation prioritaire du nord du Somerset, consolidant ainsi le rôle joué par cette firme dans l'enseignement britannique depuis le début des années 90 (dans un « pack éducatif » distribué dans les écoles primaires, le sponsor McDonalds invitait les enfants à faire de l'histoire locale en réfléchissant aux différentes utilisations antérieures... du site du restaurant McDonalds dans leur ville ; parallèlement les enseignants de musique étaient invités à inventer des chansons sur le thème « *Old Mc Donald had a store* »). On est ici apparemment en pleine modernité éducative.

Depuis l'arrivée de Blunkett au Ministère de l'Éducation, on ne trouve donc pas de mots assez élogieux pour qualifier la contribution de l'entreprise privée à l'action éducative, annoncée comme la priorité des priorités de l'équipe de Blair. Les hommes d'affaires sont aussi sinon plus courtisés que pendant la période Thatcher (75 % des nominations dans des organismes para-gouvernementaux selon une étude universitaire) : on pousse l'audace jusqu'à accepter Rupert Murdoch comme sponsor de la campagne nationale lancée par Blunkett contre... l'illettrisme.

Ces pratiques, largement inspirées par l'expérience américaine s'accompagnent aussi d'un recours croissant aux transnationales spécialisées dans l'intervention éducative. Ainsi, un des nouveaux partenaires du Ministère britannique de l'Éducation dans ces « zones d'action éducative » est l'entreprise américaine, Edison. Cette dernière s'était fait connaître aux États-Unis en introduisant un système « d'échange » dans les écoles américaines : la fourniture d'équipements vidéo pour chaque école qui signait un contrat avec l'entreprise, contre *l'obligation* pour tous les élèves de regarder dix minutes d'actualités et deux minutes de publicité sur la chaîne d'Edison, *Channel One*. Ainsi la publicité trouvait un droit de cité au sein

des écoles publiques. Le vendeur en chef d'Edison en
Grande-Bretagne, James Tooley, qui avait été particulièrement critique envers l'ancien gouvernement conservateur
pour son refus de privatiser les écoles publiques, confia à
un journaliste britannique qu'il était bien plus à l'aise
avec les néo-travaillistes.

* * *

La victoire du Parti travailliste aux élections législatives
de 1997 fut sans aucun doute due à la lassitude de l'électorat à l'égard des conservateurs, profondément divisés
depuis le départ forcé de Thatcher dont ils avaient le plus
grand mal à assumer l'héritage. Même ceux et celles qui
connaissaient bien le « projet blairiste » espéraient que
derrière le discours apaisant de Blair se profileraient des
changements déterminants par rapport à l'orientation
conservatrice. Deux ans et demi après cette élection, force
est de constater que l'équipe de Blair tient réellement à
sa « troisième voie » aux forts relents thatchériens et qui
exclut tout compromis avec le passé socialiste du Parti
travailliste. C'est particulièrement le cas dans le domaine
économique où même des sympathisants des néo-
travaillistes, comme Will Hutton, rédacteur en chef à
l'*Observer* et auteur d'un livre très critique par rapport à
la gestion néo-libérale de l'économie britannique pendant
la période conservatrice, *The State We're In* (1996), sont
obligés d'avouer leur déception. D'ailleurs malgré l'utili-
sation *rhétorique* que Blair a pu faire de certaines idées
développées par Hutton (celle du partenariat social, par
exemple) on ne retrouvera aucune trace, dans la *pratique*
gouvernementale de Blair, du néo-keynésianisme radical

de Hutton, avec son exigence de base d'une régulation du
système capitaliste au niveau national comme au niveau
international et son refus de considérer que seuls les intérêts des employeurs doivent être pris en compte dans
l'élaboration d'une stratégie économique gouvernementale. Comme Stuart Hall ou Eric Hobsbawm, Hutton
reproche à l'équipe de Blair son manque de vision économique et sociale et son ralliement acritique aux dogmes
économiques de l'ère thatchérienne (sur la privatisation,
la dérégulation, etc.) ; il dénonce l'aveuglement du blairisme par rapport aux pratiques réelles des grandes entreprises qui n'ont que peu de choses à voir avec la « concurrence pure et parfaite » ainsi que son acceptation d'un
statu quo social qui entérine les énormes inégalités de la
société britannique et qui rend sa conception du « partenariat » inexploitable [38].

Il serait néanmoins inexact de ne voir dans le blairisme
qu'une version actualisée du thatchérisme (*Thatcherism
with trousers,* dit-on en Grande-Bretagne). Certaines nou-
veautés blairistes, surtout en ce qui concerne l'État social
britannique, sont réelles et ne doivent pas être sous-esti-
mées. Comme nous le verrons dans le chapitre suivant,
elles ne portent pas pour autant la marque de la gauche.

3

Blair
et l'État social
britannique

Le Premier ministre britannique actuel se présente volontiers comme l'héritier d'une « expérimentation britannique » (*British experiment*) qui aurait commencé dans les années 80 sous le règne de Thatcher et qui, après avoir subi les retouches exigées par une meilleure appréhension des réalités de l'économie mondialisée, devrait servir d'exemple à ceux qui sur le continent européen sont encore embourbés dans les « vieux » débats idéologiques. La « troisième voie » préconisée par Blair et théorisée par Giddens compte faire fructifier l'héritage thatchérien, tout en se voulant critique à son égard : elle est présentée comme étant « au-delà » de la gauche et de la droite, du néo-libéralisme thatchérien et de la « vieille gauche » sous ses formes marxistes ou social-démocrates. Cependant, si on le regarde de plus près, ce rejet apparemment symétrique des « vieilles idéologies » de droite et de gauche dissimule des déséquilibres très marqués.

Ce qui est rejeté dans le thatchérisme est sa *rhétorique* fondamentaliste, son refus affirmé de tout compromis sur les principes du marché, ainsi que son refus de gérer les conséquences de sa propre politique. On pourrait dire que c'est l'emphase un peu hystérique des révolutionnaires thatchériens qui dérange Blair, et non pas les idées qui inspirent leur stratégie. Que cela soit la critique that-

chérienne de la social-démocratie, son rejet du keynésianisme, ou sa vision globale du fonctionnement d'une
économie de marché sans entraves étatiques ou syndicales, il y a un accord de fond. En ce qui concerne la
tradition socialiste ou social-démocrate, c'est plutôt
l'inverse : ici les blairistes ne retiennent que la rhétorique,
en faveur, par exemple, de la « justice sociale » (Blair préfère quand même la notion d'« équité sociale », moins
teintée par l'archaïsme socialiste) à condition, bien sûr,
qu'elle ne soit pas en contradiction avec les règles du marché. Pour le reste, au sujet de l'intervention de l'État dans
les domaines économique et social, des divisions et des
oppositions de classe, du mode de contrôle, voire de propriété, de l'activité économique, de la défense collective
des salariés, il y a un *désaccord* de fond.

Mais si Blair est l'héritier d'une doctrine, celle justement qui fut vulgarisée à partir des années 70 par les
« évangélistes du marché » en utilisant les travaux de von
Hayek et de Friedman, il est également héritier d'une
situation économique et sociale, fruit parfois amer des
transformations thatchériennes. Nous pensons que c'est
dans ce contexte de gestion de la situation post-thatché-
rienne qu'il faut rechercher la « nouveauté » blairiste à
l'égard de l'État social britannique, composante essentielle du consensus social-démocrate de l'après-guerre.

LA NOUVELLE INSÉCURITÉ

On trouve dans les analyses des théoriciens de la « troisième voie », Gray et Giddens en particulier, une critique
parfois sévère de certaines conséquences de la révolution
thatchérienne sur le plan national, et de la mondialisation
sur le plan international : celles justement qui contribuè-

rent à saper les bases politiques de cette révolution et, à partir du début des années 90, risquèrent de mettre en danger l'ensemble de ses « acquis ». Quel est le constat de Gray et de Giddens ? Que les forces du marché, une fois libérées de tout contrôle étatique et débarrassées de tout contre-pouvoir (syndical ou autre), peuvent entraîner des effets violents et éventuellement déstabilisateurs sur le plan social, économique et politique. Le constat n'est pas nouveau : c'est d'ailleurs à partir de ce constat-là, et en observant les conséquences dramatiques de la récession économique dans les années 20 et 30 en Grande-Bretagne et ailleurs en Europe, que John Maynard Keynes en vint à préconiser, contre l'orthodoxie économique de son époque, l'intervention de l'État pour réguler les mécanismes du marché et protéger ainsi le capitalisme de ses propres excès. Mais les défenseurs actuels de la « troisième voie », quelles que soient leurs exhortations rhétoriques, n'ont ni la vision ni le radicalisme du grand penseur des couches dominantes britanniques. Ils sont enfermés dans une problématique d'accompagnement des transformations en cours plutôt que de rupture ou de résistance.

Nous vivons, selon Giddens dans un monde « post-traditionnel », où le pouvoir économique est « décentré » et donc devenu incontrôlable, un monde qui est habité par le « risque manufacturé » et par l'incertitude [39]. C'est le prix que nous payons, dit-on, pour les bienfaits que nous procurent les mécanismes du marché global. Mais, l'insécurité induite dans la population par notre monde post-traditionnel est source d'angoisse sociale et d'instabilité politique. Dans la vision des promoteurs de la troisième voie, il s'agit de savoir comment *gérer* cette insécurité « nouvelle » sous toutes ces formes : insécurité des dominés qui seront de plus en plus amenés à accepter la précarité et l'irrégularité de l'emploi et donc de leur existence sociale ; insécurité des couches moyennes qui peu à peu sont touchées par la libéralisation de l'économie. Ces dernières, vivant dans la crainte de l'agression (par le vol ou la violence physique) des nouveaux pauvres, qu'elles sont obligées de côtoyer et dont elles n'ont pas les moyens de se protéger (à la différence des couches dominantes qui peuvent se barricader dans leurs résidences protégées par une sécurité *high tech*), craignent aussi et de plus en plus l'agression économique d'une société qu'ils ont pourtant largement contribué à façonner politiquement. L'insécurité *économique* de ceux et de celles qui ont servi de base sociale à la révolution néo-libérale est devenue une question politique de première importance pour ceux en Grande-Bretagne, néo-travaillistes ou néo-thatchériens, qui souhaitent garder le cap de cette révolution. Elle est analysée de la manière suivante par le philosophe conservateur et blairiste, John Gray : « À bien des égards, le thatchérisme était un projet qui allait de lui-même à sa perte. Ceux qui l'ont formulé n'ont pas vu que la libéralisation des marchés qui a énergiquement entamé le pouvoir du syndicalisme allait avoir, le moment venu, une conséquence involontaire : elle devait miner la sécurité économique des groupes sociaux qui avaient d'abord bénéficié du thatchérisme. Partant, elle a contribué à dissoudre la coalition d'intérêts électorale qui lui avait permis d'accéder au pouvoir… » [40].

La révolution néo-libérale a fini effectivement par ébranler l'existence de ceux et de celles qui l'ont le plus ardemment soutenue sur le plan électoral. Au milieu des années 80, avec le développement de ce qu'on appelait à l'époque le « capitalisme de casino », on vit se développer une vague de spéculation tous azimuts, impliquant de larges couches de la société britannique. Ainsi, par exemple, les familles qui en avaient les moyens – d'ouvriers qualifiés et d'employés – furent encouragées à acheter leurs HLM, dans le cadre d'une large privatisation du logement social. Des centaines de milliers de logements furent vendus bien en dessous du prix du marché (avec des déductions importantes selon la durée de la location) et les acheteurs furent assurés d'une plus-value élevée lors de la revente. La même approche fut adoptée lors de la privatisation des grandes entreprises publiques, ici encore avec des gains garantis pour les petits investisseurs éphémères (le nombre de personnes détenant des actions passa de 3 à 11 millions pendant les années 80, pour retomber à 9,5 millions). La logique économique et sociale fut sans doute détestable (le rétrécissement substantiel du parc de logement social, par exemple, conduisit directement à l'augmentation du nombre de sans logis, et le parc restant constitué justement des logements invendables, aboutissant à une détérioration générale du logement moyen dans le secteur social) mais politiquement ce fut un coup de maître (au moins à court terme). Pour des centaines de milliers de Britanniques la période thatchérienne fut synonyme de soldes permanentes, et les acheteurs surent se montrer électoralement reconnaissants.

Les prix de l'immobilier flambèrent, surtout dans le sud du pays où se concentraient les électeurs thatchériens : on achetait à des prix exorbitants sachant qu'on pourrait revendre à des prix encore plus exorbitants. Le marché était apparemment fluide et les gains garantis : les banques s'en donnèrent à cœur de joie en consentant des prêts, même sans apport, et en poussant ainsi à la consommation. Sauf que la bulle immobilière finit par éclater : au début des années 90, ceux et celles qui s'étaient enrichis par des achats immobiliers plus ou moins spéculatifs (et surtout les moins aisés d'entre eux) se trouvèrent plongés dans l'endettement. Les prix

s'effondrèrent comme ils étaient montés en flèche auparavant, avec les conséquences sociales que l'on peut imaginer. Les saisies se multiplièrent et des centaines de milliers de familles payèrent le prix fort de s'être pliées aux
« mécanismes du marché ». Encore aujourd'hui on estime
à 200 le nombre de familles qui chaque jour sont mena-
cées de voir leur maison ou leur appartement saisis pour
non-paiement des traites.

Il n'y a pas que dans le domaine de l'immobilier que la
libéralisation à outrance de l'économie britannique finit
par se retourner contre sa base électorale. Avec la réduction massive du secteur public par le biais des privatisations, la destruction systématique du pouvoir syndical, la
« dérégulation » du marché du travail (c'est-à-dire le
démantèlement de la protection juridique des salariés) et
le rétablissement de l'ordre sur les lieux de travail (« *the
management's right to manage* »), la précarité devint la
règle de plus en plus commune dans le monde du travail.
Ainsi, la Grande-Bretagne devint le pays phare de la flexibilité et les capitaux étrangers, surtout japonais et américains, affluèrent pour profiter d'une main-d'œuvre enfin
domestiquée. Ainsi démarra ce que les médias n'hésitè-
rent pas à appeler le « miracle » britannique. Ce fut, du
point de vue politique, la revanche des conservateurs sur
leurs adversaires de toujours dans le mouvement syndical, ceux que Margaret Thatcher appela « les ennemis de
l'intérieur » pendant la grève des mineurs de 1984-1985.
Du point de vue doctrinal, le marché du travail avait été
« assaini » selon les préceptes de von Hayek et l'on devait
s'attendre à des résultats fulgurants en termes de productivité, et, à terme, de créations d'emploi. Ce furent tout
au moins les promesses faites par les néo-libéraux à
l'époque. Mais, comme on le sait, l'utopisme thatchérien
ne porta pas les fruits escomptés : la productivité du tra-

vail s'améliora certes mais au prix de la destruction d'une partie de la base industrielle de la Grande-Bretagne (un peu, disait un économiste britannique, comme si on avait réussi à améliorer la santé moyenne d'une armée en guerre en tuant tous les blessés) ; quant aux créations d'emploi, sur le long terme le « miracle britannique » ne fut pas plus miraculeux que les politiques adoptées par d'autres pays comparables (la France ou l'Allemagne) [41] et l'on vit surtout foisonner les emplois précaires et à temps partiel.

On vit ainsi l'insécurité de l'emploi se généraliser : d'abord chez les salariés des entreprises privatisées qui perdirent toute protection de leur emploi (ce fut, après tout, un des objectifs affichés du thatchérisme). Ensuite dans de larges couches de la société britannique l'insécurité d'emploi devint la règle : par exemple, chez les enseignants, à tous les niveaux d'enseignement, les contrats à durée déterminée et le temps partiel obligatoire se multiplièrent ; chez les cadres moyens, dans une industrie largement privatisée, il en alla de même. Ceux et celles qui avaient soutenu, ou consenti à la chasse aux « privilèges syndicaux », au retour de « l'autorité » patronale dans les entreprises et à la suppression de ce que l'idéologue français, Guy Sorman, appelle les « emplois protégés » se retrouvèrent victimes de leurs enthousiasmes de naguère. S'il est indéniable que l'économie britannique devint créatrice d'emplois après la purge du début du règne de Thatcher, il est tout aussi indéniable que le type d'emploi créé et la transformation du statut des salariés à tous les échelons développèrent un climat général d'incertitude et de peur sur les lieux de travail, renforcé par la réalité d'un chômage encore massif malgré le traitement cosmétique que les administrations conservatrices successives faisaient subir aux statistiques.

LE RÉARMEMENT MORAL DES NÉO-TRAVAILLISTES

Ainsi s'explique, au moins en partie, la désaffection politique des couches sociales qui avaient servi d'appui électoral au thatchérisme ; le départ honteux de Thatcher, l'extrême fadeur de son successeur, les difficultés de la monnaie britannique à partir de la dévaluation de fait de septembre 1993 et les divisions croissantes au sein du parti conservateur étaient sans doute autant de facteurs aggravants. Et là réside le cœur du dilemme des modernisateurs néo-travaillistes : comment ressouder la « coalition d'intérêts électorale », évoquée par Gray, entre les couches moyennes salariées et non-salariées d'une part et les salariés du secteur tertiaire ainsi que les ouvriers qualifiés du sud et des Midlands de l'Angleterre d'autre part, qui avait porté pendant une dizaine d'années les gouvernements thatchériens ? Comment reconstruire une base sociale solide pour la poursuite de « l'expérimentation britannique », puisque la rupture avec l'héritage thatchérien est devenue politiquement impensable, surtout sous le règne de Blair ? Le nouveau discours sécuritaire et moralisant des néo-travaillistes (qui se réfère parfois au « socialisme chrétien » pour mieux l'ancrer dans la tradition travailliste) est destiné à résoudre ce dilemme politique.

Comme nous l'avons vu, sous l'influence des politologues et des spécialistes en communication politique, les néo-travaillistes en vinrent à percevoir les couches moyennes comme le groupe-charnière pouvant faire basculer vers la victoire ou la défaite aux élections, et concentrèrent donc l'essentiel de leurs efforts de conviction politique vers elles. Le résultat a été l'infléchissement important dans le discours « social » du Parti travailliste en leur direction ; infléchissement peut-être aussi significatif que sa conversion au libéralisme économique. C'est un changement de fond qui induira des effets aussi bien sur la conception travailliste de l'État social et de ceux et de celles qui en dépendent, que sur l'analyse des rapports entre l'État social et l'État pénal. Ainsi, pendant les quelques années qui séparèrent l'élection de Blair à la tête du Parti travailliste de la victoire néo-travailliste aux élections législatives, on procéda à une révision de fond en comble du discours du parti sur les « problèmes de société » en fonction des réactions des « *focus groups* » (groupes-témoins de l'opinion des couches moyennes) devenus le passage obligé de toute modification de la stratégie politique.

Dans la nouvelle articulation politique du projet de société néo-travailliste l'accent sera mis sur la loi et l'ordre (dans le nouveau discours sécuritaire de Jack Straw, actuel ministre de l'Intérieur), sur les droits et avant tout les devoirs de ceux qui vivent en « communauté » (dans les interventions de Blair et de Gordon Brown) et surtout sur le devoir « moral » des pauvres de sortir eux-mêmes de leur état de « dépendance » envers les institutions de l'État social, devenues dans la problématique néo-travailliste l'objet de tous les soupçons, à l'instar de la pensée néo-conservatrice américaine. C'est sans doute la face la moins connue à l'étranger du nouveau travaillisme britannique, un discours qui est surtout destiné à la consommation intérieure : rassurer les couches moyennes, gérer les inégalités, discipliner les pauvres. Comme nous le verrons, ce nouveau moralisme autoritaire travailliste ne restera pas simplement au niveau du discours et sera suivi d'effet sur le plan de la politique gouvernementale.

Il y avait dans le nouveau discours « moral » du néo-travaillisme une grande part de calcul politicien. Par la stratégie dite de « triangulation » empruntée aux nouveaux démocrates américains, il s'agissait de ne laisser aucun thème politiquement porteur aux conservateurs, de chasser sur les terres conservatrices de l'idéologie sécuritaire et des « valeurs morales ». Ce fut d'autant plus tentant que les conservateurs britanniques des années 90 étaient justement en difficulté dans ces domaines-là. Le taux de criminalité montait inéluctablement malgré une politique judiciaire de plus en plus répressive (surtout lors du passage de Michael Howard au Ministère de l'Intérieur) : les néo-travaillistes surent assumer l'héritage répressif de Howard tout en mettant sur le dos des conservateurs la responsabilité première de l'augmentation de la criminalité. Quant à la bataille des « valeurs », la campagne lancée par John Major à partir de 1993 autour d'un « retour aux valeurs fondamentales » (*Back to Basics*) sombra dans une cascade d'affaires de mœurs et de corruption affectant des membres éminents de son parti, voire de son gouvernement.

Néanmoins, les sondages d'opinion et les résultats des enquêtes auprès des « *focus groups* » indiquaient que les travaillistes traînaient un sérieux handicap dans ce domaine, étant toujours perçus comme trop laxistes, trop marqués par un relativisme moral hérité des années 60 (ce fut en effet sous un gouvernement travailliste de cette époque que l'homosexualité masculine fut décriminalisée et l'avortement et le divorce rendus moins difficiles ; ce furent aussi les travaillistes des années 60 qui mirent fin à la censure préalable dans le théâtre britannique). Tout le travail d'explication politique de Straw et de Blair, surtout à partir de 1994, fut destiné à mettre fin à cette perception. D'une position défensive tendant à démontrer que les travaillistes pouvaient être aussi répressifs que leurs homologues conservateurs (en approuvant l'extension des pouvoirs policiers dans le cadre de la « lutte contre le terrorisme », par exemple, ou en acceptant une législation conservatrice introduisant des peines d'emprisonnement à vie pour certains récidivistes de crimes violents ou sexuels), on passa à l'offensive pour montrer, comme l'affirma Blair qu'« aujourd'hui le Parti travailliste est le parti de la loi et de l'ordre, et c'est très bien ainsi » [42].

Pas de quartier donc pour les criminels, à commencer par les petits délinquants réputés rendre la vie des quartiers populaires si difficile (une fois installé au Ministère de l'Intérieur, Straw développera une stratégie de « tolérance zéro » de la petite délinquance inspirée par celle mise en œuvre à New York par le commissaire Bratton sous la direction politique du maire républicain Rudolph Giuliani) ; mais pas de répit non plus pour les pauvres respectueux de la loi mais jugés, par leurs censeurs néo-travaillistes, insuffisamment volontaires dans leur recherche d'un emploi. Ainsi, toute la vision de l'État social, que le Parti travailliste avait si largement contribué à mettre en place sous le gouvernement d'Attlee entre 1945 et 1951, a été mise en question par Blair et son groupe, décidés à rompre avec l'image qui collait à la peau des travaillistes d'être le parti des déshérités de la société britannique.

EN FINIR AVEC L'ÉTAT SOCIAL

Au début de la thatchérisation du parti conservateur, au milieu des années 70, la question de l'État social britannique et de la nécessité de le démanteler occupait beaucoup les combattants de l'idéologie néo-libérale, autant que la question syndicale ou la dénationalisation. Ainsi, entre beaucoup d'autres, Arthur Seldon, un des principaux animateurs de l'*Institute of Economic Affairs*, consacra un nombre considérable de ses interventions dans la presse à dénoncer l'incurie et l'inefficacité des institutions de l'État social (en particulier du Service national de santé) et à réclamer leur privatisation. Ces questions furent très largement débattues dans les cercles restreints d'intellectuels qui devaient influencer l'émergence d'un conservatisme radical en Grande-Bretagne. Cependant, lorsque l'on fait le bilan de la période thatchérienne, on est obligé de constater que dans ce domaine particulier, la révolution reste inachevée. Thatcher elle-même, qui vouait une haine à « l'État nourricier », fut contrainte dès les premières années de son règne à donner des gages à un électorat jugé très attaché au système de protection sociale, lorsqu'elle affirma en 1982 que « le Service national de santé est en bonnes mains avec nous ».

Si le financement du système national de santé a été comprimé et des mécanismes marchands introduits progressivement, il y a encore aujourd'hui un système de santé publique en Grande-Bretagne (certes très dégradé) ; si le réseau de protection sociale introduit après la Seconde Guerre mondiale et développé dans les années 50 et 60 sous les deux partis au pouvoir a subi de multiples pressions, il subsiste et reste populaire malgré vingt ans d'attaques idéologiques. Tout laisse à penser, cependant, que désormais l'État social britannique a un nouvel adversaire, autrement plus redoutable que ses prédécesseurs conservateurs puisqu'il s'agit du parti qui non seulement fut porteur de cette idée nouvelle après 1945 mais qui fut son principal défenseur pendant les attaques néolibérales des années 80.

L'État social britannique était basé, à l'origine, sur la reconnaissance ou la formulation plus affirmée d'un certain nombre de *droits* sociaux : droit au travail, lorsque le plein emploi devint une priorité gouvernementale ; droit à la protection sociale en cas de maladie, de chômage ou de rupture conjoncturelle ou définitive de revenu ; droit aux soins de santé sans distinction de revenus (même si le compromis de 1946 laissa une place aux pratiques privées). Cette nouvelle organisation sociale, qui reprenait bien sûr en les systématisant certains acquis anciens, fut pendant un quart de siècle considérée consensuellement comme un progrès incontestable, pour l'ensemble de la société britannique, mais pour les plus défavorisés en particulier. Un progrès surtout par rapport au sort réservé aux pauvres pendant la récession de l'entre-deux-guerres. Les critiques qui se développèrent pendant la période de « consensus social-démocrate » visèrent surtout une amélioration, plus ou moins radicale, du système en place.

Or, le travail idéologique de disqualification des dispositifs de l'État social, entamés par les idéologues de la révolution néo-libérale dès la fin des années 60, imprègne aujourd'hui l'analyse des néo-travaillistes. Selon Giddens, « L'État-providence [...] crée presque autant de problèmes qu'il en résout »[43]. Et Frank Field, ancien responsable associatif et un temps proche conseiller du gouvernement de Blair sur les questions sociales, a pu évoquer dans les termes suivants les « dysfonctionnements » du système britannique : « Le mensonge, la tricherie, la tromperie sont tous récompensés par un système de protection sociale qui coûte en moyenne 15 livres sterling par jour en impôts prélevés auprès de tous les salariés. [...] il est difficile de surestimer les conséquences destructrices que notre système de protection sociale a aujourd'hui dans notre société »[44].

Et il ne s'agit pas seulement de prises de position politiques destinées à priver les conservateurs d'arguments électoraux (la fameuse « triangulation ») ; il s'agit d'une révision approfondie de la représentation travailliste du comportement des pauvres, des causes et des conséquences de la pauvreté et de l'inégalité sociale, et du rôle de l'État dans la lutte contre elles.

Il s'agit pour les néo-travaillistes de revoir l'État social à la lumière des responsabilités et des devoirs que tous doivent assumer, quelle que soit leur condition sociale ou physique (on se rappellera que le gouvernement néo-travailliste a aussi, dans la dernière période, réduit les allocations pour personnes handicapées). On notera, cependant que derrière cet universalisme de façade, il est question surtout des devoirs des dominés : les devoirs et les responsabilités, par exemple, des « acteurs économiques », chefs d'entreprises ou gros actionnaires, envers les salariés, ou par rapport à l'environnement social, sont rarement évoqués pour ne pas réveiller des soupçons d'interventionnisme tatillon.

Reprenant à son compte la notion de « culture de la dépendance » empruntée aux néo-conservateurs américains à partir des travaux de Charles Murray, les néo-travaillistes cherchent des dispositifs qui sortiraient les pauvres de leur état de dépendance chronique envers la « charité d'État » (le terme, qui nous ramène cent ans en arrière, est du député très blairiste, Denis McShane) et les remettraient sur le chemin du travail et du « respect de soi ». Ceci explique la pression sur les allocations diverses censées encourager la dépendance, voire la paresse. Ainsi est né le programme « *Welfare to Work* » (les néo-travaillistes se défendent de copier le « modèle » américain, « *Workfare* », même si les ressemblances, jusque dans le vocabulaire utilisé, n'ont échappé à aucun commentateur). Financé par un impôt « exceptionnel » sur les « bénéfices excessifs » des entreprises privatisées, ce programme de remise au travail des jeunes chômeurs contraint ses bénéficiaires à suivre des stages ou à prendre les emplois offerts, sous la menace de perte d'allocations.

Ainsi, la hiérarchie des responsabilités dans le chômage de masse qui sévit en Grande-Bretagne depuis plus de vingt ans est inversée : là où avant la gauche voyait la responsabilité du système économique, ou du mode de domination économique, les néo-travaillistes voient désormais l'effet de défauts de comportement individuel, ou d'une inadaptation individuelle au marché de l'emploi à laquelle pourrait remédier la formation (seule « intervention » de l'État envisagée par les néo-travaillistes dans la lutte contre le chômage). Sous le prétexte d'un retour à l'*individu* et à la responsabilité individuelle (ou d'une mise en valeur du « nouvel » individualisme préconisée par Giddens et mise en musique par les néo-travaillistes), on évacue toute possibilité d'analyse des conséquences d'un chômage structurel et toute référence aux mécanismes et aux effets de la domination économique (d'ailleurs Giddens, dans le champ théorique, et Blair, dans le champ politique, ont en commun d'avoir totalement évacué de leurs analyses les notions mêmes de domination économique ou sociale).

Certaines catégories de pauvres ont été particulièrement ciblées par les néo-travaillistes. Ainsi, les parents isolés ont non seulement vu leurs allocations réduites par décision gouvernementale quelques mois après l'arrivée des travaillistes au pouvoir (ce qui fut l'occasion d'une première tentative de révolte parlementaire par ce qui reste de la gauche travailliste), mais sont l'objet d'une attention particulière de Blair qui perçoit leur prolifération comme la conséquence néfaste du déclin de la famille et des « valeurs familiales » dont il ne cesse de faire l'éloge.

Ces « parents isolés » ont permis à Blair (assez enclin à instrumentaliser sa foi chrétienne à des fins immédiatement politiques) de réaffirmer une vision moraliste de la vie sociale qui ne ferait pas rougir une ancienne résidente du 10 Downing Street – celle qui en 1981, lors des émeutes dans les quartiers pauvres de plusieurs grandes villes du sud de l'Angleterre, rejeta d'un revers de la main toute explication socio-économique et s'en prit aux influences destructrices des années 60 qui avaient engendré, selon elle, une génération de parents incapables d'inculquer le respect de l'autorité à leurs enfants. À l'époque la gauche réagit vivement. Une dizaine d'années plus tard, Blair, en tant que porte-parole du Parti travailliste sur les questions relevant du Ministère de l'Intérieur fit la déclaration suivante au sujet de la montée de la criminalité : « Je ne doute pas que la montée de l'insécurité et de la criminalité soit intimement liée à l'éclatement de la communauté. Et l'éclatement de la communauté est, de manière cruciale, le résultat de l'effondrement de la famille. Si nous voulons aller au-delà d'une discussion superficielle de la criminalité et de ses causes, nous ne pouvons pas ignorer l'importance de la famille » [45].

Ainsi s'est créé un nouveau consensus politique, qui va de la direction blairisée du Parti travailliste à la droite conservatrice, et qui cherche les origines de la crise sociale dans les dysfonctionnements familiaux et les défauts d'éducation, et qui voit dans les institutions de l'État social autant d'obstacles à la sortie de crise.

LA LOI ET L'ORDRE

Si la révision de l'analyse travailliste de l'État social est destinée à montrer (surtout aux électeurs de la *Middle England*) que le parti de Blair est désormais prêt à discipliner les pauvres qui en dépendent et qui refusent de

« prendre leur destin entre leurs mains », la nouvelle version travailliste de l'idéologie de « la loi et de l'ordre »
rappelle que la *punition* des pauvres n'est plus l'apanage
de la droite conservatrice. Car, ce sont bien sûr essentiellement les pauvres qui remplissent les prisons bondées de
sa Majesté et qui sont l'objet du nouveau discours punitif
des responsables néo-travaillistes. Comme le fait remar-
quer Nick Cohen, journaliste à *The Observer* et critique
acerbe des prétentions du néo-travaillisme : « Si vous ne
voulez pas et vous ne croyez pas à la redistribution des
richesses, à la justice sociale et à la nécessité de mettre
quelques contraintes aux riches, qu'est-ce que vous pou-
vez faire d'autre avec les basses classes quand elles renâ-
clent, que de les mettre en taule ? » [46].

La révision de l'idéologie pénale des travaillistes a été
menée tambour battant par l'ancien militant d'extrême
gauche, Jack Straw, aujourd'hui converti à la manière
forte (et au verbe populiste) pour faire face à la criminalité. Il importe sans doute peu que cette criminologie
punitive soit très modérément efficace dans la lutte
contre le crime [47] ; c'est surtout son effet sur l'opinion
publique et le relais dans les médias dits « populaires » qui
comptent (en Grande-Bretagne il n'y a pas de menace de
récupération néo-fasciste du sentiment d'insécurité pour
« légitimer » l'idéologie punitive comme en France).

Ceux qui craignaient l'arrivée au poste de ministre
de l'Intérieur d'un ancien dirigeant du syndicat des étu-
diants britanniques au verbe volontairement gauchiste, à
l'époque allié des communistes et longtemps associé à la
gauche de son parti, sont sans doute soulagés aujourd'hui.
Jack Straw est un des ministres de l'Intérieur les moins
libéraux de l'après-guerre en Grande-Bretagne. Arguant
souvent de ses origines modestes qui lui donneraient une
meilleure perception de la vie réelle dans les quartiers et le

rapprocheraient des attitudes populaires, Straw n'a que faire de ceux et de celles qui, dans les services sociaux ou dans la gauche intellectuelle, critiquent sa politique [48]. Fort du soutien des tabloïds et utilisant la « nouvelle » insécurité théorisée par Giddens et Gray, Straw a opté pour une approche résolument répressive.

Déjà dans l'opposition il se signala par le soutien « critique » qu'il apporta à la politique autoritaire et démagogique du dernier ministre de l'Intérieur conservateur, Michael Howard (1993-1997), soutien qui d'ailleurs fut inauguré par Blair lui-même lorsqu'il occupa les mêmes fonctions que Straw au sein du « Cabinet fantôme » travailliste (de 1992 à 1994). Ainsi, Straw, trouvant l'inspiration politique dans ses séjours aux États-Unis et impressionné par le succès médiatique de la nouvelle politique punitive des Démocrates sous Clinton, partit en guerre, dès son accession aux responsabilités politiques de premier plan, contre la petite délinquance au sujet de laquelle il fallait ne montrer aucune tolérance.

Dans ses premières propositions concernant les nuisances de voisinage (et en réponse à une campagne des tabloïds sur le sujet dénonçant des familles « venues de l'enfer ») Straw proposa un arsenal répressif allant jusqu'à des peines de *sept* ans de prison. Conforté par le succès populaire de ses premières interventions (et de l'embarras dans lequel il plongeait les conservateurs qui croyaient avoir le monopole de l'autoritarisme judiciaire) il partit ensuite en guerre contre la « délinquance » urbaine des laveurs de vitres sauvages, postés aux carrefours, des taggeurs et d'autres pourvoyeurs de graffitis « violents ». Ensuite, ce fut son ralliement aux pratiques américaines du couvre-feu pour les enfants et les adolescents dans les quartiers réputés « difficiles ». Straw alla jusqu'à évoquer l'éventualité que les autorités locales puissent édicter des recommandations sur l'heure du coucher des enfants [49] (dans les quartiers populaires, bien sûr). Plus sérieusement, lors du renouvellement en mars 1996 de la législation britannique « contre le terrorisme », à l'origine de bien des mises en cause des libertés fondamentales sous les administrations conservatrices, pour la première fois depuis 1983 le Parti travailliste refusa de voter contre, légitimant ainsi, même de manière « critique », une loi qui depuis longtemps faisait l'unanimité contre elle à gauche et parmi les défenseurs britanniques des droits de l'homme.

Depuis son arrivée au Ministère de l'Intérieur en 1997 Straw a pu confirmer sa réputation de populiste autoritaire acquise pendant ses années d'opposition. Certes, il s'est engagé à intégrer la Convention européenne des droits de l'homme dans le droit britannique, et l'affaire Pinochet lui a donné l'occasion de renforcer un capital symbolique plutôt maigre dans l'opinion progressiste. Mais sa politique du tout répressif, qui l'a même opposé aux juges britanniques lorsqu'il a réclamé des peines de prison à vie « vraiment à vie », a été maintenue. Fort de l'idée simpliste que « la prison, ça marche », il a exigé des peines d'emprisonnement contre des mineurs (avec la suppression de la présomption d'irresponsabilité pénale pour les enfants de dix à quatorze ans), accéléré les procédures de condamnation de délinquants récidivistes, et introduit des peines plus lourdes pour des crimes graves ; par contre, lorsque des gardiens d'une prison privée sont accusés de violence extrême envers les prisonniers, voire d'homicide, son Ministère se montre particulièrement compréhensif [50].

Les néo-travaillistes se disent « durs avec l'infraction pénale, durs avec les causes de la délinquance » (*tough on crime, tough on the causes of crime*), mais au-delà du slogan publicitaire facile, il faut surtout voir un glissement significatif dans la démarche politique. Il s'agit désormais de minimiser justement les « causes de la délinquance », tout au moins dans l'acception traditionnelle de cette notion à gauche (*id est* les causes socio-économiques), et de rejoindre ceux et celles dans la droite médiatique et politique qui voient dans la prévention une faiblesse, dans la rééducation un leurre, et dans la répression et les punitions exemplaires des vertus cardinales.

* * *

Derrière le discours lénifiant de Blair sur la communauté, sur la tolérance, sur la nécessité de tisser de nouveaux liens de solidarité entre les forts et les faibles, il y a, comme l'ont souligné Nick Cohen ou Stuart Hall, une dimension plus sinistre dans la démarche néo-travailliste. Comme Hall nous rappelle, le nouveau discours sur la « responsabilité individuelle » des pauvres sonne le retour d'une vieille distinction, opérée par l'Angleterre puritaine et punitive du XIXe siècle, entre les pauvres méritants et les autres. La « juste dureté » des néo-travaillistes à l'égard de leurs concitoyens « dépendants » de l'État social est destinée à la fois à rassurer les couches moyennes déboussolées par les chocs de la thérapie néo-libérale et séduites par les dispositifs sécuritaires et à rappeler aux récalcitrants et aux rebelles que l'État veille. C'est essentiellement un procédé rhétorique : sur le fond aucune solution n'est apportée aux problèmes. Les liens entre taux de criminalité et répression accrue sont loin d'être évidents ; et de toute façon la mise au pas des pauvres, criminels ou non, ne changera pas grand-chose aux autres sources de l'insécurité des couches moyennes, économiques celles-là, et sur lesquelles le gouvernement néo-travailliste avoue volontiers son impuissance.

Comme la première dirigeante de la révolution néolibérale britannique, Anthony Blair croit à la nécessaire autorité de l'État. Sur le plan intérieur il s'agit de pacifier de manière durable la société britannique. Ainsi s'explique la prise de distance remarquée des néo-travaillistes envers toutes les pratiques du mouvement associatif ou syndical qui « troublent l'ordre public » : les néo-travaillistes ont décidé, par exemple, contre l'avis des syndicats, de maintenir la législation thatchérienne qui criminalise les grèves de soutien et les piquets de grève autres que symboliques ; sous Straw on encourage des pratiques policières répressives contre les *raves* ou les déplacements des nomades *New Age* (les « *New Age Travellers* »).

Sur le plan extérieur, il s'agit non seulement de maintenir la présence diplomatique et militaire britannique, mais de renforcer la relation « spéciale » avec les États-Unis tout en réclamant un rôle dirigeant dans les affaires européennes. Lors de la guerre au Kosovo, l'opinion publique internationale a pu faire une première expérience de la conception virile néo-travailliste du maintien de l'ordre sur le plan international. Fidèle défenseur de cette « guerre pour les valeurs », selon l'expression de Blair, ce dernier et ses ministres de la Défense et des Affaires étrangères ont joué les faucons aux côtés du partenaire américain, envisageant une intervention terrestre pour mettre le régime de Milosevic à genoux et multipliant des prises de position jusqu'auboutistes. Reprenant une vieille pratique thatchérienne, le gouvernement Blair a d'ailleurs vivement pris à partie le correspondant de la BBC en Yougoslavie, accusé de céder à la propagande serbe. Ici encore l'obsession du « message » primait, et c'est donc sans surprise que l'on voit Blair envoyer son manipulateur médiatique en chef, Alastair Campbell, auprès de l'*OTAN* pour mieux gérer les relations publiques de l'organisation pendant l'intervention militaire [51].

L'intervention forte de Blair pendant la crise du Kosovo nous rappelle toute l'importance que le Premier ministre britannique attache au positionnement géo-politique de son pays. Elle a déjà produit un résultat concret, avec la nomination en juillet 1999 de George Robertson, ancien ministre de la Défense britannique et fidèle de Blair, au poste-clé de secrétaire général de l'*OTAN*. Le blairisme a aussi de grandes ambitions internationales qui ne se réduisent pas au simple suivisme par rapport aux dirigeants américains. Nous évoquerons ses ambitions et leurs conséquences éventuelles sur la vie politique européenne dans ce qui suit.

CONCLUSION

La victoire des néo-travaillistes aux élections de mai 1997 en Grande-Bretagne fut une divine surprise pour tous ceux qui rêvaient d'une gauche enfin réconciliée avec les forces du marché et épurée de ses tentations interventionnistes, qu'elles soient d'inspiration marxiste ou social-démocrate. Pendant les dix-huit premiers mois de la nouvelle administration, tout semblait sourire au Premier ministre britannique et à son projet d'un nouveau « radicalisme centriste ». Sa popularité personnelle était au beau fixe dans les sondages d'opinion (avec l'aide assidue et permanente d'une large équipe de conseillers en image publique) ; sa réputation de réformateur « moderniste » impressionnait ses homologues européens de gauche et de droite et ses « succès » faisaient taire leurs éventuelles réserves ; il accumulait le capital symbolique lié à sa « résolution » du problème nord-irlandais, au retour de la Grande-Bretagne dans la construction européenne ou aux réformes hardies des structures politiques britanniques (avec l'octroi d'une forte autonomie à l'Écosse et au pays de Galles) ; il était comblé par une presse européenne quasi-unanime dans son approbation de l'œuvre de rénovation blairiste.

L'état de grâce de Blair et des néo-travaillistes a cependant vécu : ils ont subi leur première défaite électorale en juin 1999, infligée par un parti conservateur pourtant exsangue après des années de luttes intestines et dont le

seul « atout » a été un anti-européanisme aux accents
xénophobes. Il ne faut sans doute pas trop attacher
d'importance à cette défaite à mi-parcours (avec un taux
de participation électoral de 23 %) qui avait été d'ailleurs
immédiatement précédée par de bons résultats néo-travaillistes dans les élections générales pour les assemblées
nationales du pays de Galles et d'Écosse ; elle mine néanmoins l'image d'invincibilité politique construite autour
de Blair. Même si les services de communication du Parti
travailliste ont tout de suite expliqué le revers aux européennes par la quasi-absence de Blair pendant la campagne électorale à cause de son engagement dans la crise
du Kosovo, les premières failles dans l'édifice blairiste
furent immédiatement remarquées par les observateurs.
La publication, à quelques jours des élections, du pro-
gramme-manifeste de Blair et Schröder aux accents résolument néo-libéraux s'avéra non seulement un faux pas
politique (creusant les oppositions d'appareil au sein de
la gauche européenne et y suscitant quelques prises de
positions timidement hostiles), mais surtout un boulet
électoral pour le chancelier allemand, si l'on en juge par
les scores électoraux que son parti engrange depuis, et la
chute consécutive de sa côte de popularité personnelle.

La presse et les médias français qui, dans un premier
temps, ne trouvaient pas de mots assez beaux pour
décrire le « projet » blairiste, ont suivi le mouvement.
Aujourd'hui il est de bon ton de se montrer plus critique,
voire, à l'occasion, persifleur à l'égard de Blair et de son
« projet », y compris dans les organes de presse qui ont
tout fait pour promouvoir le néo-libéralisme « de
gauche » [52] (le terme de « social-libéralisme » est peut-être
moins adapté dans la mesure où, comme nous l'avons
souligné, il n'y a pas grand-chose de « social » dans la pratique des néo-travaillistes).

Néanmoins, Blair jouit encore de solides soutiens au sein de la classe politique et des institutions européennes, et son rapprochement avec les dirigeants démocrates américains, confirmé spectaculairement pendant la Guerre du Kosovo, lui donne un poids non-négligeable dans le champ politique international. Anthony Giddens voit justement dans ce positionnement des néo-travaillistes entre l'Europe et les États-Unis un genre de vocation politique pour les défenseurs de la « troisième voie » : « ... le Royaume-Uni est [...] bien placé pour contribuer activement à l'émergence des idées nouvelles. Plutôt que de s'approprier simplement les tendances et les notions américaines, la Grande-Bretagne pourrait servir d'étincelle dans la création interactive entre les États-Unis et l'Europe continentale. »[53]

Par ailleurs, Blair ne cesse de proclamer son intention d'œuvrer à une « modernisation » de la gauche européenne sur le modèle britannique, tout en rapprochant les modernistes « socialistes » et « centristes » européens de leurs alliés naturels dans le « centre radical » international. Il s'agirait à terme de construire une nouvelle configuration (voire organisation) politique internationale, qui contournerait ou remplacerait les regroupements actuels où se mélangent un peu trop, au goût des néo-travaillistes, partisans de la voie dite moderniste et « paléo-socialiste ».

Il est loin d'être sûr que le « modèle » néo-travailliste puisse s'exporter tel quel, et le rapprochement opportuniste désastreux de Schröder au projet blairiste doit en faire réfléchir plus d'un. La rhétorique de Blair manie habilement des allusions et des références spécifiquement britanniques (ce qui explique sans doute leur maquillage dans la version française du livre de Blair) : l'instrumentalisation de sa foi chrétienne est destinée à la fois à récupérer un courant chrétien non-négligeable dans la tradition

travailliste et à séduire une frange de l'électorat conservateur, mais elle est peu opératoire dans le champ de la
gauche politique en France. Son éloge du profit (à l'instar
de Thatcher) et sa manie de s'entourer de ceux et de
celles qui en font, ont pour objet de marquer la continuité néo-travailliste avec la révolution thatchérienne et
donc de rassurer les couches moyennes « thatchérisées » et
« l'industrie » : ailleurs qu'en Grande-Bretagne un discours aussi ouvertement favorable aux dominants du
champ économique passe mal. Son éloge de l'harmonie
sociale (sans transformation sociale, bien sûr) et sa
volonté de nier les conflits et les contradictions, tous dis-
sous magiquement dans le « partenariat », apparaissent
comme naïfs voire dangereux dans des pays européens
qui ont encore en mémoire des partis ou des hommes
politiques qui souhaitaient abolir autoritairement les
contradictions sociales en faisant appel à la « communauté » nationale.

Il est donc plus que vraisemblable que les partisans du
marché au sein de la gauche européenne soient obligés
d'avancer en s'inspirant de l'exemple britannique, tout en
se démarquant d'un homme et d'une expérience dont les
spécificités risquent d'être déstabilisatrices pour leurs
propres projets. Le néo-travaillisme britannique a pu
s'épanouir dans le vide créé par la défaite du mouvement
social et par son quadrillage idéologique et juridique mis
en place par les gouvernements conservateurs radicaux
des années 80. De l'extérieur, on a du mal à mesurer les
dégâts, sur le plan social, politique et intellectuel, induits
par cette période et donc à appréhender la gravité du ralliement des néo-travaillistes à la politique économique et
sociale de leurs prédécesseurs.

L'ambiguïté entretenue, en France comme dans
d'autres pays européens, par des politiciens se réclamant

de la tradition socialiste ainsi que par une partie de la presse de gauche à l'égard de la réalité de l'entreprise blairiste a tendance à cacher les enjeux les plus significatifs de la situation britannique, à détourner le regard des conséquences sociales et économiques des abandons néo-travaillistes et ainsi à brouiller le débat politique sur les alternatives à gauche (en Grande-Bretagne comme ailleurs). Les analyses critiques de la réalité sociale et économique du blairisme sont rarement relayées dans la grande presse française, même « de gauche »; il suffit pourtant de lire les quotidiens tels *The Guardian* ou même *The Independent* ou l'hebdomadaire *The Observer,* pour constater qu'il existe un fort courant critique à la gauche du blairisme qui ne se satisfait pas du « thatchérisme à visage humain » de Blair et de ses collègues. À mi-parcours de leur mandat, les néo-travaillistes brillent plutôt par ce qu'ils n'ont pas fait que par ce qu'ils ont fait. Ils ont refusé de toucher à un rapport de forces massivement défavorable aux salariés en particulier en maintenant les lois anti-syndicales de Thatcher. Ils ont accepté (voire acclamé) un régime fiscal qui non seulement permet aux riches de continuer à s'enrichir mais du même coup interdit d'envisager une quelconque réduction dans l'écart important des revenus devenu une caractéristique de l'économie britannique. En encourageant le recours au privé dans le domaine des retraites, de l'éducation et de la santé ils poussent dans le sens d'une ségrégation sociale toujours plus accrue qui maintient les pauvres, désormais vilipendés publiquement pour leur manque de volonté de s'en sortir, dans un univers aux allures carcérales. Ils continuent de gouverner un pays profondément divisé et meurtri par des inégalités impensables il y a seulement un quart de siècle. Pendant que les néo-travaillistes demandent £350 (3 500 francs) par tête à leurs invités, essen-

tiellement industriels de leur état, pour le privilège de
dîner dans la même salle qu'Anthony Blair pendant le
congrès du parti (*The Guardian*, 28 octobre 1999), des
milliers de familles britanniques vivent dans la rue, directement victimes d'une politique délibérée de réduction
massive du parc de logement social que le nouveau gouvernement n'a rien fait pour renverser. Le parti qui fut
fondé par les syndicats pour défendre les intérêts des salariés au parlement préfère aujourd'hui la compagnie des
industriels à celle des militants syndicaux, et les louanges
de la presse tabloïde de Murdoch à l'appui de la presse de
gauche. Ainsi, lorsque Blair se déplace pour s'adresser au
congrès syndical ses conseillers en communication sont
soulagés par l'accueil tiède voire hostile qui lui est réservé
(c'est, dit-on, très bon pour l'image publique du dirigeant
néo-travailliste d'être ainsi mal accueilli par une base syndicale, toujours démonisée par la presse de droite).

Le débat qui s'ouvre aujourd'hui dans la gauche européenne dans le sillage de la publication de la plate-forme
commune Blair-Schröder, et après la rencontre de Florence en novembre 1999, peut et doit s'inspirer d'une
analyse critique de plus de deux ans et demi d'exercice du
pouvoir par les néo-travaillistes britanniques. La présentation lénifiante du « miracle » économique britannique
commence (enfin) à trouver ses contradicteurs. Ainsi, par
exemple, le mythe de la « flexibilité » et ses prétendus
effets bénéfiques sur l'emploi et la compétitivité, entre-
tenu soigneusement dans les discours publics de Blair,
commence à faire long feu et les conséquences sociales et
économiques de la dérégulation du marché de l'emploi à
faire l'objet d'analyses beaucoup moins favorables [54]. Les
« petits boulots » londoniens, aux conditions qui rappel-
lent l'époque victorienne, attirent moins les jeunes chercheurs d'emplois français. La « flexibilité », telle qu'elle

s'est imposée en Grande-Bretagne, a été surtout un moyen de *discipliner* les salariés britanniques, qui pendant une trentaine d'années après la Seconde Guerre mondiale avaient, avec l'aide des syndicats, accumulé un formidable potentiel défensif, organisationnel et symbolique, face aux employeurs. En multipliant le travail précaire, en facilitant le licenciement quels que soient les motifs, en adaptant les horaires de travail aux seules exigences patronales (pour certains salariés ils peuvent varier entre 0 et 48 heures par semaine) et, bien sûr, en réduisant massivement la puissance syndicale, les gouvernements successifs (conservateurs et maintenant néo-travailliste) ont engendré une main-d'œuvre dont une partie significative est désormais habitée par la crainte mais surtout dont l'attachement à l'entreprise est plus ténu et instable que jamais. Effectivement on ne fidélise pas les salariés à coup de crosse. Le « mal britannique », dont parlaient les sociologues dans les années 60 qui soulignaient les rapports de travail détestables entre les travailleurs britanniques et leur encadrement, est loin d'être guéri, malgré deux décennies de « nouveaux modes de gestion des ressources humaines ».

De même, les conséquences réelles et dramatiques du retrait de l'État (promu par Thatcher et défendu par Blair) du logement social, de la santé, des transports en commun, pour ne mentionner que les secteurs les plus touchés, ne sont plus considérées comme la rançon inévitable de la « modernité ». En Grande-Bretagne, des intellectuels critiques, souvent proches du travaillisme, comme Will Hutton, Stuart Hall ou Eric Hobsbawm, dénoncent aujourd'hui ouvertement la dérive blairiste : la grogne syndicale se développe dans des syndicats influents comme le TGWU (Transport and General Worker's Union) et UNISON.

Lorsque Blair affirme qu'il n'y a pas d'alternative entre sa politique et un retour des conservateurs, encore plus réactionnaires, il dissimule les vrais enjeux. L'espace à gauche du néo-travaillisme se structure au Royaume-Uni : sur l'ensemble des questions sociales et économiques les nationalistes au pays de Galles et en Écosse défendent des positions plus progressistes que les néo-travaillistes. Dans ces deux pays, les électeurs populaires déçus par le néo-travaillisme se reportent vers le vote nationaliste. Dans certains domaines (défense du service public, nécessité d'une fiscalité redistributive…), même les libéraux-démocrates sont plus proches de la tradition travailliste que les blairistes. Dans les dernières élections générales en Écosse, les dissidents de la gauche travailliste et certains candidats de la gauche radicale ont obtenu des succès remarqués [55]. Malgré les purges blairistes et les nouveaux modes autocratiques de direction et de gestion de l'appareil travailliste, la gauche du parti, après une période de désarroi, n'a peut-être pas dit son dernier mot (de ce point de vue, il faudrait suivre de près la campagne électorale pour la nouvelle mairie de Londres et le rôle qu'y jouera Ken Livingstone, député de Londres et candidat de la gauche travailliste pour le poste de maire).

Le néo-travaillisme prospère dans l'ambivalence et l'ambiguïté, devenues au fil du temps des armes efficaces de sa campagne permanente de « communication » : ambivalence rhétorique sur ses desseins réels (faisant appel tantôt au « réalisme » néo-libéral tantôt au moralisme « social-chrétien »), ambiguïté de ses rapports avec l'héritage thatchérien, dissimulation de sa rupture avec toute la tradition social-démocrate et socialiste européenne. L'ambiguïté perdure dans le débat politique français chez ceux et celles qui, par devoir de solidarité avec un « parti frère » ou par intérêt politique, refusent de

regarder les réalités du blairisme en face. La « modernisation » néo-travailliste n'a apporté aucune solution à ceux
et à celles qui sont en droit d'attendre une amélioration
significative de leur situation de la part du parti qui est au
pouvoir très largement grâce à leurs suffrages : les chômeurs, beaucoup plus nombreux que l'on voudrait bien
admettre ; les salariés pauvres et moins pauvres qui subis-
sent tous les jours les conséquences dans leur travail de la
« révolution néo-libérale » aujourd'hui institutionnalisée
par les blairistes. Cette modernisation a été, par ailleurs,
mortifère pour la gauche britannique : dépourvue des
moyens théoriques de penser autrement l'avenir de la
radicalité travailliste, elle a été happée par la machine
blairiste, ridiculisée et disqualifiée. Malgré les quelques
signes d'un réveil, son retour en force sera sans doute
long et ne pourra pas faire l'économie de l'analyse de ses
propres échecs qui ne sont pas tous imputables, loin de
là, à un adversaire implacable. Il ne s'agit pas donc ici de
faire une quelconque apologie du passé travailliste révolu,
mais simplement de rappeler que la modernité et la
modernisation des projets politiques de la gauche ne
riment pas forcément avec la défense et l'illustration des
valeurs du marché, que la gauche européenne peut se
reconstruire dans la modernité sans nécessairement se tra-
vestir en Dame de Fer.

Novembre 1999

BIBLIOGRAPHIE SÉLECTIVE SUR LE NÉO-TRAVAILLISME

ANDERSON, Paul et MANN, Nita, *Safety First. The making of New Labour*, Londres, Granta Books, 1997.

BARRAT BROWN, Michael et COATES, Ken, *The Blair Revelation. Deliverance for whom?*, Nottingham, Spokesman, 1996.

BLAIR, Anthony, *La Nouvelle Grande-Bretagne. Vers une société de partenaires*, Paris, Éditions de l'Aube, 1996.

—, *New Britain, My vision of a young country*, Londres, Fourth Estate, 1996.

CROWLEY, John, *Sans épines, la rose : le blairisme, un modèle pour l'Europe?*, Paris, La Découverte, coll. Cahiers libres, 1999.

—, *Tony Blair, Le nouveau travaillisme et la troisième voie*, La Documentation Française, Problèmes politiques et sociaux, n°824, 16 juillet 1999.

DRIVER, Stephen et MARTELL, Luke, *New Labour. Politics after Thatcherism*, Cambridge, Polity Press, 1998.

FOOTE, Geoffrey, *The Labour Party's Political Thought. A History*, Londres, Macmillan, 1997.

GIDDENS, Anthony, *Beyond Left and Right. The Future of Radical Politics*, Cambridge, Polity Press, 1994.

—, *The Third Way. The Renewal of Social Democracy*, Cambridge, Polity Press, 1998.

GRAHL, John, « Aufholdjagd im Rückwärtsgang », *Blätter für deutsche und internationale Politik*, n°8, 1999, p. 907-910.

GRAY, Anne, *The New Deal and Welfare Reform. Opportunity, Punishment or Deterrence*, University of Hertfordshire Business School, 1999.

GRAY, John, « Après la social-démocratie. Politique, capitalisme et vie commune », *Le Débat*, n°100, mai-août 1998.

HAY, Colin, *The political economy of New Labour. Labouring under false pretences?*, Manchester, Manchester University Press, 1999.

KHILNANI, Sunil, « Tony Blair ou les mystères de l'extrême centre », *Le Débat*, n°100, mai-août 1998.

MANDELSON, Peter et LIDDLE, Roger, *The Blair Revolution, Can New Labour Deliver?*, Londres, Faber and Faber, 1996.

MARLIERE, Philippe, « Le Blairisme, un "thatchérisme à visage humain"? », *Les Temps Modernes*, n°601, octobre-novembre 1998.

Marxism Today, numéro spécial de la revue « euro-communiste », ressuscitée pour l'occasion, sur le blairisme. Articles de Martin Jacques, Stuart Hall, Eric Hobsbawm, Will Hutton, etc., novembre-décembre 1998.

McSMITH, Andy, *Faces of Labour. The inside story*, Londres, Verso, 1996.

NAIRN, Tom, *After Britain*, Londres, Granta Books, 2000.

PYM, Hugh et KOCHAN, Nick, *Gordon Brown. The First Year in Power*, Londres, Bloomsbury, 1998.

RADICE, Giles (sous la dir. de), *What Needs to Change. New Visions for Britain*, Londres, Harper Collins, 1996.

RAMSAY, Robin, *Prawn Cocktail Party, The Hidden Power behind New Labour*, Londres, Vision Paperbacks, 1998.

SHAW, Eric, *The Labour Party since 1945. Old Labour : New Labour*, Oxford, Blackwell, 1996.

SOPEL, John, *Tony Blair. The Moderniser*, Londres, Bantam Books, 1995.

Notes

1. Anthony Blair, *La Nouvelle Grande-Bretagne, Vers une Société de Partenaires*, Préface de Martine Aubry, L'Aube, Paris, 1996, p. 8. La version française du livre de Blair n'est pas à proprement parler une traduction, tout au mieux une transposition, dans laquelle les aspérités un peu trop ouvertement néo-libérales du discours de Blair sont supprimées ou modifiées pour mieux répondre au « goût » français. Lorsque, par exemple, à la page 112 de la version anglaise Blair se prononce pour une fiscalité, celle justement de ses prédécesseurs conservateurs, qui permet aux gens qui travaillent dur et qui prennent des risques de *devenir riches* (« *become wealthy* »), dans la version française (p. 105) cette fiscalité blairiste leur permet simplement de « se réaliser » (sic). On apprend, par ailleurs, dans une note biographique franchement hilarante (p. 222-223) que Blair est né dans une famille où le père était communiste et « professeur de droit », alors qu'en fait à la naissance de Blair son père était déjà militant *conservateur* (après être passé par les Jeunesses Communistes dans son adolescence) et *assistant* de droit.

2. Anthony Giddens, *The Third Way, The Renewal of Social Democracy*, Polity Press, Cambridge, 1998.

3. John Gray, « Après la social-démocratie », dans *Le Débat*, n°100, mai-août 1998, p. 49.

4. Pour une discussion du rôle de ces *think tanks* dans la construction du thatchérisme voir Keith Dixon, *Les Évangélistes du marché*, Raisons d'Agir, Paris, 1998.

5. C'est un point critique que développe John Crowley dans un livre récent sur le blairisme dont la tonalité générale

reste assez favorable à l'expérience blairiste. Voir *Sans épines, la rose : le blairisme, un modèle pour l'Europe ?*, La Découverte, coll. Cahiers libres, Paris, 1999.

6. Il s'agissait de Roy Jenkins, David Owen, William Rodgers et Shirley Williams.

7. Robin Ramsay, *Prawn Cocktail Party. The Hidden Power behind New Labour*, Londres, Vision Paperbacks, 1998, p. 77. Le livre de Ramsay est une mine d'informations sur l'influence américaine au sein du mouvement travailliste.

8. Voir John Crowley, *Sans épines, la rose : le blairisme, un modèle pour l'Europe ?*, op. cit., p. 57-65.

9. John Crowley, *op. cit.*, p. 63.

10. Sur l'*IPPR*, voir Peter Ruben, « The Institute of Public Policy Research : Policy and Politics » dans Michael Kandiah et Anthony Seldon, *Ideas and Think Tanks in Contemporary Britain*, Londres, Frank Cass, 1996, p. 65-79.

11. Sur *Demos*, voir Tim Bale, « *Demos : Populism, Eclecticism and Equidistance in the Post-Modern World* », dans Michael Kandiah et Anthony Seldon, *Ideas and Think Tanks in Contemporary Britain, op. cit.*, p. 22-34.

12. On retrouvera une véritable apologie des emplois précaires et à bas salaire « qui facilitent le passage du chômage vers l'emploi » dans le programme commun de Blair et de Schröder pour les élections européennes de juin 1999. Pour une analyse de ce programme voir José Vidal-Beneyto, « La social-démocratie privatisée », *Le Monde Diplomatique*, juillet 1999.

13. Dans son discours devant les invités de *Newscorps*, Blair déclara « mes idées politiques sont simples, pas complexes » et fustigea les « vieilles solutions de planification économique et de contrôle étatique » qui « ne marchent pas ». On comprend tout l'intérêt que l'ultra-libéral Murdoch porta au « nouveau » travaillisme.

14. Le Parti travailliste avait promis depuis longtemps une

enquête, qui serait entreprise par la Commission des monopoles et des fusions, sur les activités de Murdoch, mais cette promesse ne fut pas suivie d'effet une fois les néo-travaillistes arrivés au pouvoir.

15. Voir le chapitre consacré à Blair dans Andy McSmith, *Faces of Labour. The inside story*, Verso, Londres, 1996.

16. Parmi ces interventions opportunes, il faut signaler les discours de Blair devant les responsables de la *City* de Londres en mai 1995, son *Mais Lecture*, où il esquissa le nouveau programme des travaillistes, insistant sur la continuité avec la politique économique des conservateurs; ou encore, en novembre 1995, devant la *Confederation of British Industry*, la confédération patronale britannique, où il donna une définition impeccablement néo-libérale de sa conception du rôle de l'État dans l'économie.

17. « La flexibilité du marché du travail doit impliquer un nouveau partenariat entre les entreprises et les salariés » et « Un travailleur éduqué est un travailleur confiant – et un travailleur confiant est plus susceptible de faire preuve de cette flexibilité qui est nécessaire à la réussite », Anthony Blair, *New Britain*, p. 92.

18. Reprenant une formulation impeccablement hayékienne, même si elle est peu grammaticale, Blair définit ainsi le rôle de l'État : « non pas de choisir les gagnants, mais de créer le cadre compétitif à l'intérieur duquel les entreprises peuvent se faire concurrence », *New Britain, op. cit.*, p. 101.

19. Voir le supplément « Économie » du *Monde* du 11 mai 1999, « Le "blairisme" est-il soluble dans le "thatchérisme"? ».

20. Anthony Blair, *Mais Lecture* de mai 1995, cité dans *New Britain, op. cit.*, p. 89-90.

21. Anthony Giddens, *The Third Way*, Polity Press, Oxford, 1998, p. 33.

22. Anthony Giddens, *op. cit.*, p. 64.

23. John Gray, dans une intervention au colloque organisé par le *Fonds de solidarité des travailleurs du Québec*, cité dans *Le Devoir*, le 25 octobre 1997.

24. Voir Robin Ramsay, *The Prawn Cocktail Party*, Vision paperbacks, Londres, 1998, p. 122.

25. Le « communautarisme », comme le notent Driver et Martell, permet aux néo-travaillistes d'occuper une niche rhétorique entre le verbe néo-libéral conservateur et le discours du vieux travaillisme : « Politiquement, le communautarisme fournit aux modernisateurs travaillistes une alternative au néo-libéralisme conservateur (au thatchérisme) et le moyen de prendre leurs distances avec le bilan social-démocrate de l'ancien travaillisme d'après-guerre ainsi qu'avec la dimension libérale sur ce bilan », *New Labour. Politics after Thatcherism*, Polity, Oxford, 1998, p. 29.

26. On peut se permettre quelques réserves par rapport aux ambitions affichées par les néo-travaillistes dans ce domaine. S'il est vrai que leur programme rompt assez radicalement avec l'immobilisme conservateur, il est tout aussi vrai que la cause essentielle de la réforme du statut constitutionnel des pays de la périphérie britannique, par exemple, fut le changement du rapport des forces politiques, surtout en Écosse, depuis une vingtaine d'années. Le but premier de Blair fut de sauvegarder l'union britannique, menacée par la montée du nationalisme, tout en consolidant l'influence du Parti travailliste dans ses bastions écossais et gallois. Quant à la réforme de la Chambre de Lords, encore en chantier, il n'est qu'à rappeler l'ardeur avec laquelle Blair vint à la rescousse des Windsor pendant la crise qui suivit la mort de la princesse Diana pour mesurer le « radicalisme » de Blair à cet égard. Pour une critique rigoureuse de la politique blairiste sur la périphérie britannique, voir Tom Nairn, « *Virtual Liberation or British Sovereignty since the Election* » dans le numéro spécial de *Scottish Affairs* intitulé *Understanding Constitutio-*

nal Change, Edimbourg, 1998 ; voir également Tom Nairn, *After Britain*, Londres, Granta Books, 2000.

27. Anthony Blair, *New Britain, op. cit.* p. 147.

28. Sur le non-respect de la législation pourtant minimaliste concernant la protection des salariés, voir *Flexibility Abused*, une enquête publiée par la *National Association of Citizens Advice Bureaux*, septembre 1997, voir aussi l'article de Marie-Béatrice Baudet dans le supplément « Économie » du *Monde* du 11 mai 1999, « La flexibilité, mais à quel prix… ».

29. Voir Ramsay *The Prawn Cocktail Party, op. cit.*, p. 111-146 ; voir aussi R. Farnetti, I. Warde, *Le Modèle anglo-saxon*, Economica, 1997.

30. Nick Cohen, *Cruel Britannia*, Londres, Verso, 1999, p. 16-19.

31. Voir le supplément « Économie » du *Monde*, 11 mai 1999.

32. « *I want a tax régime where, through their hard work, risk-taking and success, people can become wealthy* », Anthony Blair, *New Britain, op. cit.*, p. 112.

33. La campagne nationaliste s'inspira directement des résultats du référendum sur l'autonomie écossaise de septembre 1997, où les électeurs écossais se prononcèrent non seulement en faveur du nouveau statut autonome mais aussi d'un degré d'autonomie dans le domaine fiscal, permettant ainsi à un futur gouvernement écossais de moduler (vers le haut si nécessaire) le taux d'imposition écossais par rapport à celui en vigueur sur le reste du territoire britannique. Ainsi les électeurs écossais confondirent les politologues, et les spécialistes de communication politique autour de Blair, en indiquant clairement qu'ils étaient prêts à payer *plus* d'impôts s'il y avait en retour une amélioration des services publics. Il va sans dire que cette indication précieuse sur les attitudes de l'électorat envers la fiscalité est passée totalement inaperçue chez les dirigeants néo-travaillistes.

34. Face à ce véritable *apartheid* éducatif, certaines voix de gauche se sont élevées, pour que le gouvernement finance massivement des places dans le secteur privé pour les enfants pauvres les plus méritants (Will Hutton dans le numéro spécial de *Marxism Today* de novembre-décembre 1998). Jadis revendication centrale de la gauche, une véritable réforme démocratique de l'enseignement britannique, qui passerait obligatoirement par l'abolition des lycées privés (*public schools*) aux frais de scolarité prohibitifs, semble être devenue impensable.

35. Cité par Nick Cohen, in *Cruel Britannia, op. cit.,* p. 119.

36. Anthony Giddens, *The Third Way, op. cit.,* p. 74.

37. Cité par Nick Cohen, *Cruel Britannia, op. cit.,* p. 182.

38. Voir l'article de Will Hutton dans le numéro spécial de *Marxism Today* de novembre-décembre 1998 intitulé « *Inequality. The state we should be in* ».

39. Voir Anthony Giddens, *Beyond Left and Right, op. cit.,* p. 97-103. Voir aussi John Crowley, *Sans épines, la rose : le blairisme, un modèle pour l'Europe ?, op. cit.,* p. 131-147.

40. J. Gray, « Après la social-démocratie » dans *Le Débat,* n°100, mai-août 1998, p. 49.

41. Voir Francisco Vergara, « Un miracle britannique en trompe-l'œil », dans *Le Monde* du 20-21 juillet 1999.

42. Étrangement, ce passage qui se trouve à la page 42 du livre de Blair, *New Britain,* n'a pas été reproduit dans la version française.

43. Anthony Giddens, *The Third Way, op. cit.,* p. 16.

44. Frank Field, *Making Welfare Work,* Institute of Community Studies, 1995, p. 1-2.

45. Cité par Anderson et Mann dans *Safety First, op. cit.,* p. 244).

46. Nick Cohen, *Cruel Britannia, op. cit.,* p. 118.

47. Pour une discussion des effets de la « société punitive »

britannique, portant surtout sur la période conservatrice, voir David Garland, « Les contradictions de la "société punitive" : le cas britannique », dans *Actes de la recherche en sciences sociales*, septembre 1998, n°124, p. 49-67.

48. Dans un discours à l'Université de Salford, en septembre 1996, Straw s'en prit dans les termes suivants à ceux et celles qui doutaient de l'efficacité du tout répressif : « Ceux et celles qui travaillent dans les services sociaux ou sont chargés de suivre la liberté surveillée des condamnés, ainsi que ceux qui fournissent le cadre intellectuel à notre système de peines, à savoir des chercheurs universitaires, sont trop éloignés de la perception publique des problèmes » (cité par Anderson et Mann, *Safety First, op. cit.,* p. 258).

49. Anderson et Mann, *Safety First, op. cit.,* p. 265.

50. Sur l'affaire Alton Manning, du nom d'un prisonnier noir mort à la suite de violences infligées par les gardiens de la prison privée de Blakenhurst (dirigée par l'entreprise américaine *Corrections Corporation of America*), et le comportement des représentants du Ministère de l'Intérieur britannique, voir Nick Cohen, *Cruel Britannia, op. cit.,* p. 97-100.

51. Pour une analyse des manipulations médiatiques pendant la Guerre du Kosovo et du rôle du gouvernement Blair, voir l'article du journaliste de *The Independent*, Robert Fisk, « Mensonges de guerre au Kosovo », dans *Le Monde Diplomatique*, n°545, août 1999.

52. Dans *Libération*, par exemple, qui promeut depuis longtemps une version française du néo-libéralisme « de gauche », on constate un assez net infléchissement entre les premiers articles après la victoire de Blair et la couverture actuelle. Parti d'un soutien assez appuyé à la démarche blairiste, lui attribuant des « succès » non encore avérés (l'Irlande du Nord) ou largement imaginés (l'autonomie écossaise et galloise qui doit beaucoup plus à la

pression nationaliste qu'au réformisme blairiste), *Libération* adopte désormais un ton bien plus distancié (voir, par exemple, le récit des déboires de Blair lors de ses vacances toscanes en août 1999).

53. Anthony Giddens, *The Third Way, op. cit.*, p. viii-xix.

54. Voir Marie-Béatrice Baudet et Laurence Caramel, « La flexibilité est-elle anti-économique », *Le Monde de l'Économie*, 7 septembre 1999. Voir aussi *Flexibility Abused. A CAB report on employment conditions in the labour market*, National Association of Citizens Advice Bureaux, septembre 1997.

55. Voir David Denver et Iain Mac Allister, « *The Scottish Parliament Elections 1999 : an analysis of the results* », *Scottish Affairs*, n°28, Unit for the Study of Government in Scotland, Edimbourg, 1999, p. 10-31.

TABLE DES MATIÈRES

Achevé d'imprimer sur rotative
par l'imprimerie Darantiere à Dijon-Quetigny
en décembre 1999

Diffusion : Le Seuil
Dépôt légal : 1er trimestre 2000
N° d'impression : 99-1265